Think

早野龍五
東京大学名誉教授

「科学的」は武器になる

世界を生き抜くための思考法

Scientifically

Ryugo Hayano

新潮社

はじめに　科学という羅針盤

科学者は〝答え〟を知っている人？

「アマチュアの心で、プロの仕事をする」

僕がまだ物理学の世界に足を踏み入れたばかりの大学院生の頃、指導教授の背中を見て学んだことです。科学者の仕事を一言で表すならば、こういうことになると僕は思っています。

今、科学者は「専門分野の〝答え〟を知っている人」として社会から見られますし、その期待に応えようとしている人もいます。僕が大学院生だった頃と比べて、「それって社会にとって何の役に立つんですか？」「税金使ってやることなんですか？」と聞かれることもはるかに増えました。

確かに、僕がずっと研究をしてきた物理学の世界、実験の世界というのは、浮世離れしています。明日すぐに役に立つものでもないし、多くの人にとってプロジェクトがあってもなくても、直接的な関係はないと言えるものです。

一例をあげましょう。僕が研究プロジェクトを率いていたスイス・ジュネーヴにあるＣＥＲＮ研究所（セルン：欧州原子核研究機構）には、秘密基地のような広大な実験施設の中に、大型ハドロン衝突型加速器、通称ＬＨＣと呼ばれるものがあります。何やら難しそうな名前ですが、これはびっくりするほど大きな装置で、山手線くらいの大きさの円型のトンネルが、地下約１００メートルもの深さに設置されています。

この巨大な装置が一体何のために作られたのかというと、２０１２年に発見され、翌年のノーベル物理学賞受賞につながった「ヒッグス粒子」をはじめとする、未知の素粒子を検出するために作られたものなのです。１９６４年に理論的に存在が予言され、長年探されていた「ヒッグス粒子」がＬＨＣを使った実験によってついに見つかったという世紀の大発表をしたとき、研究所は興奮と歓喜に包まれました。

たくさんのメディアで報じられた「ヒッグス粒子」の発見ですが、これだって今日、明日に役に立つものではありません。大きく言えば、〝宇宙の始まりを知る〟ために研究されてきたものです。その原動力になっているのは、科学者の「知りたい」という好奇心です。知りたいという気持ちから科学は発展していき、科学者たちの残した成果から、僕たちの身の回りにあるパソコンやスマートフォン、医療、乗り物などに使われる技術が生まれてきました。

つまり、科学にとって大事なのは、〝すぐに役に立つことはないけれど、誰かが社会にとって役に立つ何かを生み出す基礎になるかもしれない〟ということだと思います。そのために必要なのが、「アマチュアの心で、プロの仕事をする」ということです。

どんな分野でも、最初は誰もが素人であり、少し練習をするとアマチュアになります。何かを始めるときに、素人であることやアマチュアであることは決して恥ではありません。恥ずかしいのは、プロの仕事として仕上げられないことです。科学の世界で言えば、きちんと仮説を立て、適切な理論のもと実験をして、データを取り、そのデータが正しいと言えるかどうかを検証して、矛盾がないように説明する――こうしたことが、プロの仕事です。

「世界」から「世間」へ移って分かったこと

僕は2011年3月11日の東日本大震災、そして福島第一原発事故が起きた後、ツイッターで原発事故についてつぶやいているうちにフォロワー数が一気に増えて、科学者コミュニティの中から社会に発見された、というより社会に引っ張り出された科学者です。当時、福島についてよく知らない、原発についても専門ではないという中で、ひとりの科学者として、次々に発表される大量のデータをチェックし、物理学者の習性からデータをグラフに直してツイートしていました。僕自身が、何が起きているかを知りたいと思い、熱心に取り組んでいたのです。

原発についてはアマチュアではあるけれど、「科学者としてプロの仕事」をして発信していたと、今なら言えます。その中で学んだのは、科学者という仕事の意味です。専門分野の研究は今日、明日に役に立つようなものではなくても、「科学者としてプロの仕事」をすることは、もっと広い意味で社会のいろんなところで、誰かの役に立つものだと考えるようになりました。

確信を持ったのは、大学を離れてからです。僕は定年退職後、大学への再就職という道を選びませんでした。ヴァイオリンの世界的な教育法でもある「スズキ・メソード」（公益社団法人才能教育研究会）の会長として子どもとその保護者の皆さんに関わり、ツイッターで知り合った糸井重里さんに誘われて「株式会社ほぼ日《にち》」のフェローとして商品開発や学校事業に携わるようになりました。東京からジュネーヴ、ニューヨークなど世界中の研究機関を飛び回っていた「世界」から、科学者以外の人たちと共同でプロジェクトを進める「世間」へと、生活の場をがらりと変えていくことになったのです。

そこで僕の役に立ったのは、科学者としての経験でした。会社勤めの経験がなかった科学者の僕が、音楽教育組織のトップになり、そして企業のフェローになると言ったときには、多くの人に驚かれました。同僚の科学者たちや先輩方に驚かれただけでなく、何より自分自身が、こんな人生になるとは思いもよらず、驚きました。そしてその時に思ったのは、〝僕にとって法人の中に身を置くことは、まさにアマチュアであることだ〟ということです。アマチュアとして、手探りでやることは何も怖いことではありません。

では、ここでの僕にしかできない「プロの仕事」とは何でしょうか？

共通するプロの仕事

——プロジェクトを率いる、情報を発信する、人を育てる

スズキ・メソードとほぼ日には、共通の特徴があります。それは、創業者がカリスマ的な存在感をもった組織だということです。個人には寿命があるけれど、法人には寿命が想定されていません。受け継いだ人たちが、バトンをつなぐように、少しずつ組織に残った問題を片付けたり、新しいものを継ぎ足したりして、次の世代に引き継いでいく必要があります。

これは科学と同じです。科学というのは、人類が取り組んでいる巨大なプロジェクトだと言えます。僕がCERNでプロジェクトリーダーとして進めていた研究にも、当然のように先行世代がいて、しかもその研究は僕の代では終わることなく、ある程度のところで成果発表をしたら、次の世代に託していかなければなりません。僕がひとりで無限にやれるわけではないのです。

科学者としてプロジェクトを率いるには、人によっていろいろな流儀がありますが、僕の場合は「楽しそうにやる」ということを心がけていました。これも学生時代に、指

導教授の背中を見て学んだことです。周囲と「楽しそうに」やりながら、自分たちがやりたいことを専門外の人でも分かるように、プロの視点を保ちつつ説明する。そして、次の世代を育てる——僕がスイスや福島でおこなってきたマネジメントは、法人の運営に携わるようになった現在でもなんら変わることはありません。

スズキ・メソードにもほぼ日にも、科学者は僕しかいないので、科学者として気になったことはどんどん発言しています。僕が科学者としてその場にいて、僕の視点を語ることが、法人に新しい視点を与え、組織をより強くしていくことにつながる。そういう発想で、科学と経営をかけ合わせたさまざまな新しいプロジェクトを立ち上げています。

科学的思考を軸に判断する

学問や研究も、今は何かにつけて「役に立つ」ことが求められますが、多くの研究、特に基礎研究はすぐに役に立つものではありません。しかし、役に立つということについて考えるのならば、個々の研究以前に「科学的思考」そのもの——科学的なものの考え方が、いかに役に立つものか、大事であるかということに、もっと目を向けてほしいと思うのです。「科学者としてのプロの仕事は、研究以外のあらゆる分野に生かすことができる」という事実が、このことをとてもよく表しています。科学と社会の関わり方が、「研究がすぐに役に立つか、立たないか」「自分たちの味方か、気にくわないことを言っているか」という視点でしか語られないのは、本当にもったいない。科学的思考は、ビジネスにおいても、教育においても、基本となるものなのです。

科学者が社会の中にいるというのは、どういうことなのか。それを読者のみなさんの立場に置き換えれば、「社会の中で、科学的にものを考えて生きていくとはどういうことか」ということだとも言えます。「科学的に考える」というのは、必ずしも「理系」の分野だけではなく、「文系」に属するとされる分野においても大事なことです。科学的思考は、人類の長い歴史に根ざした、世界共通のものさしなのですから。あらゆるニュースや社会的事件について、流言や陰謀論がはてしなく飛び交うようになった現在、「何を軸に考えればよいのか」が分からなくなる人も増えていることでしょう。そんなとき、「科学的に考えること」は、ものごとの基本に立ち返り、行くべき道を照らしだす羅針盤になってくれるのです。

この本では、僕が科学者としての人生の中でこれまで経験してきたことを振り返りながら、「社会の中の科学者」という生き方について、つまり「科学的な考え方を軸に判断すること、仕事をすること」について、語ってみたいと思います。

「科学的」は武器になる

世界を生き抜くための思考法

目次

はじめに　科学という羅針盤

第1章　世界への扉——松本

第2章　「自分でやる」を叶える土台――アメリカ〜カナダ

第3章　人がやらないことを見つける――つくば

第4章　枠の外からエサを狙う生き方――ジュネーヴ

第5章　社会のための科学者――福島

「科学的」は武器になる

世界を生き抜くための思考法

構成・石戸諭

第1章　世界への扉——松本

顕微鏡から見えた「もうひとつの世界」

僕が科学に関心を持ったのはいつかといえば、それは明確に子どものころからでした。ちょっと退屈かもしれませんが、僕が科学と出会ったきっかけには僕の生い立ちが深く関係していますので、簡単に説明しておきましょう。

僕の出身地は岐阜県大垣市です。それは僕の祖父や父が、1945年の終戦とともに当時の京城、今の韓国・ソウルから引き上げてきた場所が大垣だったからです。祖父の早野龍三は東京帝国大学から当時新設された京城帝国大学に赴任し、眼科学を教えていました。父は京城で生まれ、大学の途中まで過ごしています。祖父は赴任先に骨を埋める覚悟だったので東京には家を残さなかったそうですが、大垣に残っていた生家があり、戦後はそこになんとか住まいを確保したと聞いています。早野家は医者の家系で、父もそこから今の名古屋大学に通って眼科医になりました。

ちなみに、祖父・龍三の三男として生まれた父の名前は三郎で、「龍四」という名前は早くして亡くなってしまった長男につけられていました。僕の名前は、祖父の内孫の中で一番早く生まれた男の子ということで、「龍五」とつけられたんです。

　僕の母も結婚前は眼科医でした。大阪女子医科大学（今の関西医科大学）を卒業し、名古屋で父と出会いました。結婚して僕が生まれたあとも、父は大垣から名古屋に通う生活をしばらく続けていましたが、当時の医局のボスが東大に移り、父も一緒に移ることになります。ところが、東京に家族そろって住む前に信州大学の医学部にポストが見つかって、僕たちは長野県松本市に引っ越すのです。

　そんな医者の家系だから、僕の幼少期、それから大学に入学してからも、常に「医学」への道が頭にありました。医学は、僕が生涯を費やすことになった物理学と違って、分かりやすく〝人のため、社会のため〟になる科学です。やっぱり子ども心に、医者という仕事に対しては、強い憧れがありました。

　僕にとってとても影響が大きかったのは、父が臨床医であると同時に、研究者でもあったことです。父はとても忙しくて、幼少期にはほとんど顔をあわせたことがありませんでした。朝早く家を出て、夜は遅くに帰ってくるというのが日常でした。でも日曜日の出勤時には、小さな僕を研究室に連れて行ってくれることもありました。行ってみると、研究室ではウサギをたくさん飼っていて、その目にプラスチック素材のレンズを移植し、様子を見るなんていう実験をしている。思い返すとちょっと怖い光景ですが、

「へぇ、こういうことをやっているのか」と、僕は興味を持って見ていました。

そして何より楽しかったのは、電子顕微鏡を触らせてもらえたことです。研究室では動物の細胞組織の観察を電子顕微鏡でやっていたので、僕は人生のとても早い頃から、顕微鏡をのぞくことができました。

ガラスを割って作ったナイフで、樹脂で固めた試料を薄くスライスして水に浮かべ、小さなメッシュで掬って顕微鏡にセットしてのぞきこむ。すると、肉眼で見ているのとは全く違う世界が広がっています。それがなぜかすごく楽しくて、わくわくしたことをよく覚えています。

この世界は、肉眼で見えるものだけがすべてではない――。今思えば、それを初めて感じたわくわくだったのでしょう。僕らがいま生きている世界は、見えないものを見ることができたり、病気を治そうとする人たちが人間以外の動物で実験を繰り返したりして成り立っている。このことを、子どもながらに体感として知ることができたのです。父の研究室でのこの光景が、僕の科学者としての原点でした。

機械はまず自分でいじる

もうひとつの原点は、「ラジオ作り」と、今でも大好きな「カメラ」にあります。

当時は子ども用に簡易版のラジオを作るキットやパーツが売られていて、わりと簡単にラジオを手作りすることができました。きょうだいもおらず、家の中ではいつもひとりで遊んでいた僕は、ラジオ作りに夢中になりました。

今から考えても、ラジオは〝科学の種〟です。現代の社会で、「電波」の存在と無縁に生活しているという人はまずいないでしょう。テレビも電波で届いているし、スマートフォンも電波を介して通信している。インターネットの無線LANだってそうです。僕たちは電波に囲まれて生活しているといっても過言ではありません。

ラジオ作りは、そんな膨大な（といっても、僕の少年時代は今ほど多くはありませんでしたが）電波の中から、自分が聞きたい「音」を乗せた電波を選ぶことが大事になってきます。その働きをする「同調回路」と呼ばれるものを作るのが、簡易ラジオ作りのポイントです。

当時の子どもたちが熱中していたのは、いわゆる「ゲルマニウムラジオ」と呼ばれるものなので、今でも簡単に作ることができます。そんなに難しい仕組みではないので、説明してみましょう。アンテナでとらえた電波から「音」を取り出すゲルマニウムのダイオード（整流器）と、つまみがついたバリアブル・コンデンサ、通称バリコンと呼ばれるものをハンダづけする。それから、フェライト磁石でできたコアに巻き付けたコイルをつなぎ合わせれば、おおむね完成です。コンデンサとコイルは、さまざまな「音」を乗せた電波の中から、特定の周波数の放送だけを取り出すことに使われます。

これにイヤホンをつけると、音を聞くことができるようになります。といっても、今使われているようなイヤホンではなく、ロッシェル塩というクリスタルをイヤホンとして用いたものです。これは、電圧をかけると結晶自体が伸縮して音が出るという仕組みを利用したものでした。

主だったパーツはこの4つ程度で、部品をトータルで買ってもそんなに高くありません。それに電池を使わない仕組みなので、一度作れば子どもでもいつでも聞くことができました。もちろん、売っているラジオのように大きく鮮明な音というわけではありませんが、アンテナをつけてバリコンのつまみをぐりぐりと回し、共振周波数を合わせて電波をキャッチすれば、か細い音だけれども聞こえるんです。

毎晩、布団に潜り込んで、流れている落語を聞いていました。ひとつひとつは何てことなない部品をちょっと組み合わせるだけで、電波を拾うことができて、僕が知っている世界は大きく広がっていきました。

もうひとつの機械——僕が初めて手にしたカメラは、当時一世を風靡したリコーのオートハーフでした。フィルムを自動で巻き上げてくれて、露出の設定も、ピント合わせもカメラがやってくれる。押すだけで誰でも写真を撮ることができるという、その時代には画期的な技術を積んだカメラでした。この小さな機械で、どうして自動で写真が撮れるのか？　フィルムはどういう仕組みで現像されて写真になるのか——こんなところからも、僕は科学の世界へと足を踏み入れて行きました。

科学の原動力はやはり「知りたい」という気持ち、好奇心にあります。世界がどうやって成り立っているのかを知りたい、宇宙がどうやって出来上がってきたのかを知りたい、見えない物質をなんとか見えるような形にしてみたい……。好奇心が科学の世界を発展させ、切り開いてきました。

僕は子どもの頃から、ラジオやカメラといった「メカ」がとにかく大好きだったんです。小さいうちからそれらをいじくり回し、なんでもまずは自分で分解して、大抵の場合はそのまま直せなくなって困ったりしながら、ひたすら好奇心を深めていきました。

科学の原理は、身近な道具のなかにたくさんあります。今の僕が当時とまったく同じ感性を持っているとは言えませんが、それでも子どもの時に感じた「わくわく」は忘れていません。

100点よりも上の領域——ヴァイオリンとの出会い

科学の世界は、常にグローバルな世界です。研究者は地球上のあちこちに散らばり、その知見は瞬く間に共有されて、日々熾烈な競争が繰り広げられている。でも、競争に勝つことがすべてではなく、世界にライバルがいると気づいた時点で自分の視野は広がり、「世界の中の日本」や「世界の中の自分」という視点を持つきっかけになります。日本の中だけで生活していると世界の存在を意識することはあまりありませんが、プロの科学者となれば、世界を意識せずに仕事をすることはできません。

僕が世界の存在を最初に意識したきっかけは、4歳で始めたヴァイオリンでした。今、僕はスズキ・メソードという国際的な音楽教育団体の会長を務めていますが、それは僕がこの組織の創設まもない頃に、創始者の鈴木鎮一《しんいち》による直接指導を受けていたということが大きな理由です。

「はじめに」でも語ったように、鈴木鎮一はカリスマ的な創始者でした。スズキ・メソードは、今ではアメリカの音楽教育や、ベネズエラの文化政策「エル・システマ」(経済状況にかかわらず、すべての子が無償で集団の音楽教育が受けられる仕組みが原点。世界的な指揮者として知られるグスターボ・ドゥダメルなどを輩出した)にも大きな影響を与えたことで世に知られていますが、僕が習っていた頃はまだ最初期で、そこまでの世界的な広がりもありませんでした。

運が良かったのは、父の職場がたまたま松本市に見つかって一家で移り住んだ頃、鈴木鎮一も松本でスズキ・メソードの前身である「松本音楽院」を開き、音楽指導を始めた時期だったことです。ちなみに、スズキ・メソードはソニーの創業者として知られる井深大《まさる》がバックアップをしていたことでも知られていますが、父のいとこにはソニーのもうひとりの創業者の盛田昭夫がいて、おかげで我が家には早い段階でテープレコーダーがありました。

伝え聞くところによると、父がある日、旧制京城中学時代の同級生と松本の町でばったり再会したんだそうです。久しぶりに同級生に出会えば、「お前、ここで何しているんだ」という話になります。

「いや、俺はちょうど信州大学の医学部に職が見つかって……」と父が話すと、同級生は「おまえ、子どもはいるのか？　鈴木鎮一という人を知っているか？」と聞いてきたらしい。彼は松本音楽院の活動に関わっていて、とにもかくにも多くの人にその存在を広めたかったんでしょう。

「鈴木鎮一さんは大変すばらしい教育者で、松本音楽院というのをやっている。そこで子どもたちがヴァイオリンを手にして、すばらしく育っているんだ。おっ、君の家には男の子がひとりいるのか。なに、まだ4歳で、もうすぐ5歳になろうとしている。ちょうどいい。すぐにその子を連れて音楽院にいらっしゃい」……とまぁこんな調子で、父を誘ったらしいのです。

何が幸いするかは分からないもので、僕はこの〝偶然〟からいろいろな学びを得ることになります。ヴァイオリンを習い始めたのは、ほかの子どもたちに比べると決して早くはないスタートでしたが、幼稚園に通っていなかった僕は、それから音楽院に通う生活を送ることになりました。僕は小学校に入学するまで、音楽漬けになります。

家では、食後には必ず練習をすることがルールになりました。1日に3回食事をするとして、食後に30分練習するとなれば、僕は5歳にして、1日つごう1時間半とか2時間の練習をしていたことになります。するとそれは、鈴木鎮一がよく大事だと言っていた、ルーティンや習慣になってくるわけです。

もちろん、時として練習が嫌だなと思うこともありました。すると母からひどく叱られます。「来週からはもう、鈴木先生のところに行かないよ」と言われると、「それは嫌だ」と泣くこともありました。その時の練習は嫌でも、鈴木先生のところには行きたいと思っていたんですね。

鈴木鎮一という人は「精神の気高さ」を持っている大人でした。子ども心にも〝この人の前で嘘をついたり、ごまかしたりすることはしてはいけない〟と思わせる人で、どこか〝見抜かれている〟と感じさせるところがありました。彼がレッスンで話す内容は、いつも同じなんです。僕は〝またこの話か〟と思うこともありましたが、それは彼の信念でした。例えば、「どの子も必ず育つ」とか、「大阪の子どもはみんな、大阪弁を当たり前にマスターしてしゃべっている。音楽だって、最初は譜面を見るのでなく、耳から聴くことが何より大切だ」という話をする。これはいつも変わることなく、はっきりしていました。

一番怖かったのは、「練習してきましたか？」という質問です。練習をちゃんとしていない、食後に何回かさぼってしまったなとか、思ったほどにはやっていない、という時は、自分がそれを一番よく知っています。先週来た時から比べて、自分が進歩しているか、していないかは自分で分かっている。そこで「はい」と答えるか、「いいえ」と答えるのかは、子ども心に、ものすごい重圧でした。

嘘をつけば、絶対にバレることは分かっています。彼は決して子どもをけなさないので、常に褒める。褒めるのですが、その褒め方には濃淡があります。そうした微妙な言い回しから、やっぱりバレているなと思うことは多々ありました。そこで、〝この人に嘘はつけないぞ〟と肝に銘じるわけです。

もうひとつ怖かったのは、「誰に教わってきましたか?」という質問です。レッスンへ行って、ヴァイオリンをちょっと弾きます。すると演奏を止めて、そう聞いてくるのです。それは、僕は「鈴木先生」のレッスンを受けているのだけれど、「鈴木先生」ではなく、誰が演奏するレコードを聴いて、課題曲の弾き方を学んだかということが問われていました。一流の演奏家が弾いた課題曲を家で聴きながら練習して、レッスンで実際に弾いてみる。そこで「本当にじゃあ、あなたの先生はこういう具合に弾いていたでしょうか」という質問をされるわけです。これは本当に怖い質問でした。

あれは確か、僕が中学生の時だったと思いますが、手厳しい言葉を投げかけられたことがありました。僕はその頃、「自分の演奏の個性、オリジナリティーとはなんだろうか?」ということを考え込んでいました。思春期ならではの、若者らしい悩みだったと思いますが、当時の僕はいたって真剣でした。これは科学の問題にもつながってくるのですが、簡単にいえば、こんな悩みです。クラシックの世界にも多くの名人がいて、僕は彼らの真似をしながらレッスンを受けている。そのうち僕は「演奏家の模倣をしているばかりで、それは僕のオリジナルといえるのだろうか」と考えるようになる。僕には僕の個性があって、それを取り入れなければ本当の演奏とはいえないのではないか──。

そう考えて、僕はある日のレッスンで、ちょっとアレンジをした演奏をしたんです。

アルテュール・グリュミオーという、先生も僕も好きな演奏家がいて、その頃は彼のレコードで練習していたんですが、僕はちょっと個性を出そうと思って、レコードとは少し変えて演奏してみせた。それで、例によって「今週はどなたのレッスンを受けてきましたか？」と聞かれた時、僕は「グリュミオー先生」と言いかけて、口ごもってしまったんです。

そこで、正確な言葉はちょっと思い出せないのですが、「あなたの弾き方には品がない」という趣旨のことを言われて、はっとさせられました。

先生が求めるのは人間の品格であり、個性とはもっと地道な積み重ねの先に、品格とともに身につくものである──。そんな深い真理を、たった一言で教えられた出来事でした。

これは科学の世界でも同じだということを、僕は後々、痛感することになります。研究の個性や目の付け所というのは、人から教わるものではなく、過去の研究を知り、今の課題を知る中で、自分にしかできない研究を追求しながら見つけていくものです。学校のテストでは、どこまでいっても100点より上はありません。100点で満足すると、努力は止まってしまう。でも、音楽の世界にしろ、科学の世界にしろ、ビジネスの世界にしろ、社会には100点より上の領域があります。

そんな領域が存在することを、僕に最初に教えてくれたのはヴァイオリンでした。

アメリカ演奏旅行の衝撃

さて、少し話を戻しましょう。僕が初めて「世界」を意識させられたのは、ある出来事がきっかけでした。

1964年3月、僕の小学校卒業の年であり、世間的には東京オリンピックが10月に開幕する年です。僕は、10人の子どもたちがアメリカを演奏旅行して回る「テン・チルドレンツアー」というスズキ・メソードの企画で、アメリカに行くことになります。スズキ・メソードで学ぶ子どもたちのフィルム映像がアメリカで紹介されて、その演奏ぶりがずいぶんと評判になったので、実際に演奏するところを見せようじゃないかと立ち上がった企画でした。「テン・チルドレンツアー」はこの後も継続されて、毎年選抜された10人が世界各地を回るようになったのですが、僕が参加したのはその第1回です。

出発前に東京へ着くなり、NHKに呼ばれて番組収録に参加するわ、いろんなセレモニーはあるわと、ものすごい取り上げられようでした。それもそのはずで、当時の大卒公務員の初任給が1万9000円という時代に、演奏旅行の個人負担は6万9000円もしたんです。日本人がアメリカに行くこと自体が珍しかった中で、子どもたちがツアーをするというのだから、注目されるのは当然でした。

アメリカに行ってからも、僕たちの演奏旅行は常に注目されました。当時、日本とアメリカの間には絶望的な国力の差がありました。日本はアメリカとの戦争に負けて、一時的に統治されていた国でもある。「本当にオリンピックなんて開けるの？」と見られていた時代でした。そんなアメリカの人々からすれば、遅れている国からやってきたはずなのに、どうして日本の子どもたちはこんなにヴァイオリンが弾けるんだ？　という、賞賛と驚きがあったようです。

シアトルで最初のコンサートをやると客席は満員で、大きな拍手をしてくれました。翌日には地元の新聞にも報じられていて、ツアー中、現地の家庭にそれぞれホームステイをした僕たちは、ホストファミリーから「載っているぞ」と教えてもらって反響の大きさを徐々に実感していきます。シアトル、シカゴ、ボストン、ニューヨーク……と、全米14都市を回りましたが、どこでもそんな感じでした。

初めてのアメリカは、家もとんでもなく広いし、子どもであっても僕らゲストを一人前に「ミスター」とつけて扱ってくれるし、日本とは何もかもが違いました。僕にとって最大の衝撃は、何といってもアメリカの「メカ」です。車に乗っている時に雨が降る。ワイパーでフロントガラスを拭くと、窓の隅にたまった雨粒が、上のほうに向かっていっせいに走るんです。これは、当時の日本ではありえなかった。そんなスピードで車は走らなかったからです。「アメリカの車ってこんなに速く走るんだ！」とびっくりしました。

子どもながらに、〝いずれはアメリカに行きたい。自分ももう一度来て活躍できる日が来るだろうか？　いや必ず来たいし、活躍する自分でありたい〟と思う気持ちが出てきました。

でも、それは音楽によってではない、ということに薄々気がついたのも、このツアーがきっかけでした。世界のトップがどのくらいのレベルにあるのかを、僕は知ってしまったんです。自分はトップに上り詰めるだけの時間をかけ、練習をして、それを一生やっていく……ということがしたいのか。言い換えると、音楽を自分の一生の仕事にしたいのかということを、アメリカから帰った中学生時代にはかなり思い悩むようになりました。

自分の周りには、明らかに自分よりも良い音楽を奏でる人たちがいるけれど、もっと遠くにはさらにたくさんいる。プロとして本当にすごい人と自分との間に、どれだけ努力をしても越えられないであろう巨大な差があると、体感してしまったんです。いや、もしかしたら乗り越えられるかもしれないけれど、そのためにはきっと、もっとヴァイオリンを好きにならないといけない。でも、僕はヴァイオリン以外にもいろいろなことに興味を持っている──。

決断はやっぱり重要です。トップになれないと分かりながら、それを目指して練習するだけが道ではない。そのステージからは降りて趣味で弾くとか、いくらでも道はあります。僕はそれでもしばらくはレッスンを続けていましたが、徐々に「これは自分が一生、仕事としてやるものではない」という覚悟を決め、高校に進学してすぐに、ヴァイオリンをやめました。

レッスンに行って、その日はヴァイオリンをしまったまま「鈴木先生、今日が最後です」と伝えて、家に帰ってきたという記憶だけがあります。それまでは1日2時間も3時間も弾く生活をしていたわけで、いろいろなことを思い返して緊張していたんでしょう。先生が何をおっしゃったかはまったく思い出せないのですが、引き留められるようなことは一切なく、平穏に帰ってきたことだけは覚えています。

「世界にライバルがどれだけいるか考えなさい」

高校は、地元の進学校である松本深志高校に通いました。僕の両親は徹底したポリシーを持っていて、僕が小学校に上がるころから、何かを質問しても答えないんです。家の中に本なり辞書なり、事典なり図鑑なりがたくさんあって、それを使ってとにかく自分で調べろという方針でした。

それから、ちゃんと小学校や中学校で先生の授業を聞き、教科書を読めば、それ以外のことはする必要がないという方針も徹底していました。公教育で与えられた教科書だけで、受験は突破できるはずだと固く信じていたんです。「だって、大学入試はその範囲からしか出ないんだもの」ということをよく言っていました。だから僕はその通り、教科書だけで勉強しました。実際に、それで十分に勉強ができた時代でした。

高校自体は自由で良い学校でしたが、高校にいると目の前に見えるものといえば、定期試験の結果や授業の成績など、直接自分にフィードバックされてくるものくらいです。〝まぁ、そんなもんか〟と、しだいに「１００点で止まる生活」に流されていくようになります。その頃になると、少年時代からラジオを作っていた延長で、僕はアマチュア無線に夢中になっていましたが、それも言ってみれば趣味の範疇です。ヴァイオリンを練習していた時間が、ぽっかり空いてしまっていました。

そんなあるとき、父が僕にこんなことを言ってきました。

「世界中にお前と同じ年齢で、将来、お前のライバルになる人間がどのくらいいるか考えてみろ。そして、そいつらが今、なにをやっているか想像してみろ」

僕はこの言葉にはっとしました。僕は松本に生活している。それまではヴァイオリンの演奏で、東京へアメリカへとあちこち連れ回されたりしていたのに、高校生になってからは、すっかり地方都市の平穏な空気の中で暮らしていたわけです。のんびりとした環境で、１００点以上のものがない世界に生きていた。

父はそれ以上のことは何も言いませんでしたが、僕はその一言で、「自分がいま学校という狭い社会の中で見ている世界の外には、もっともっと広い世界がある。将来世の中に出たときには、そこにいる人たちが競争相手になるんだ」と思わされました。

父はその頃、どうも僕がアカデミズムの世界、サイエンスの世界に興味を持ち始めていることに、気がついていたようです。僕は当時、ジェームズ・D・ワトソンの『二重らせん　DNAの構造を発見した科学者の記録』という本に出会って、熱心に読んでいました。それから、日本の7人の物理学者たちが「ロゲルギスト」というペンネームを共有して書いたエッセイ『物理の散歩道』にも大きな影響を受けて、いよいよサイエンティストになりたいと思い始めていたんです。

大学の医学部で臨床と研究の両方をやっていた父を見て、僕にも大学の研究生活というものがだんだん分かってきていました。医者への憧れはありましたが、臨床がとても大変だということも同時に見えてきて、〝あんな大変な仕事が僕にできるだろうか、それなら研究者がいいんじゃないか〟とも考え始めていました。

そんな時に、先ほどの強烈な一言を問いかけられたわけです。父からは「大学に入るのがゴールではなく、大学の中で良い成績を収めるのもゴールではなくて、サイエンスの世界に行くのなら、世界の中でどう競うのかを考えなければいけない」と言われた気がしました。

僕は、ヴァイオリンを諦めるまでの間ぼんやりと考えていたことに、あらためて直面することになったのです。

「世界中にお前と同じ年齢で、将来、お前のライバルになる人間がどのくらいいるか考えてみろ。そして、そいつらが今、なにをやっているか想像してみろ」――。

こうしてもたらされた「世界」への意識は、大学に進んで研究者の卵になると、思いもよらないきっかけから、より現実的な目標へと変わっていきました。僕は世界を意識するだけでなく、肌で「体験」するようになるのです。

第2章　「自分でやる」を叶える土台——アメリカ〜カナダ

遊び道具はコンピュータ

僕は1970年に東京大学理科Ⅰ類に入学しましたが、この学年は歴史的にみても他に例のない、珍しい学年でした。というのも、前年の1969年は学園紛争の影響で東大入試が無かったため、僕たちは1学年上に先輩がいなかったのです。

これは、僕にとってはいいことでした。科学者になろうと決めていた僕にとって、大学に入学して最初の課題は、いかにして「医師」への未練を断ち切るかでした。そのためにも、喧騒とは距離をおいて、とにかく勉強がしたかった。ただ、研究者になるとは決めたものの、どの分野にするかはずっと迷っていました。東大は3年次からそれぞれの学部に進む仕組みですが、実は医学部へ進んだ上で研究者を目指すことも、ぎりぎりまで考えていました。

大学受験の時に、医学部を目指す人が主に入る理科Ⅲ類をやめたのは、父から「研究者になりたいんだったら、医師免許はいらないんじゃないか」と言われたのが決定的でした。そうした経緯で、理学部へ進む人が中心の理Ⅰに入学したわけですが、僕は物理学科に進むと決めるまで、しばらくふらふらふらと揺れ動きます。当時は分子生物学という分野が流行っていて、前章で紹介した『二重らせん』の著者ワトソンとともにＤＮＡの分子構造を突き止めたフランシス・クリックは、最初は物理学者でした。生き物を研究する生物学ではなく、もっと物質的な世界の研究を取り入れた生物学が盛り上がってきた時代で、僕もそれに興味を持っていました。

東大にも、医学部から物理学科にやってきた先生がいました。生物と物理を融合させた分野をこれから打ち立てるべきだといって、筋肉の研究に分子生物学的なアプローチをする、なんてことをやっていた。その先生はそうした当時の最新の動向を踏まえて物理学科に来られたということもあって、次第に「うーん、逆に医学部に行って研究することもできるんじゃないか」という考えが出てきました。

医学部で人体を勉強しながら、分子生物学的な研究をする――。やっぱり僕の中には、医師という仕事に対する憧れが、かなり根強く残っていたんです。でも、最終的に僕は、医学部を選びませんでした。「〝医師にはならない〟と決めて大学に入ったのに、医学部に行くのはいかにも中途半端だ」――というのが大きな理由でした。

そんなふうに、散々悩んだ末に物理学を専攻しようと決めたわけですが、今もそれがなぜかはよく覚えていないんです。フランシス・クリックの存在も大きかったとは思いますが……。思い出すのは、コンピュータで遊べたことでした。

当時は、「プログラム」という言葉がやっと学生にも少しずつ広まってきたくらいの時代だったと思います。その頃はまだ、コンピュータというと電卓の大きいようなもので、数字をたたき込むと計算した結果が出てくる、というような話を主に見聞きしていた段階でしたが、僕はコンピュータがもっと複雑なこともできるということを大学に入って知り、衝撃を受けました。

初めてプログラミングをしたのは、駒場のキャンパスで過ごした1、2年生の時です。本郷から先生がやって来て、コンピュータを触らせてもらえるというゼミがあり、僕たちはそこで微分方程式を解くプログラムを組むということからコンピュータの世界に入っていきました。それから、駒場には高橋秀俊という物理の先生も来て教えてくれていましたが、高橋先生は実は、日本のコンピュータ分野における草分け的な、控えめに言っても当時のもっとも先端を知るおひとりだったのです。

高橋先生の周囲には、コンピュータを自作する研究者もいました。これはどういうことかというと、まだ情報科学という言葉が広まるはるか前の当時、すでに「世界はこれからコンピュータを作っていく競争に突入する、それに挑戦しなければ」と考えている研究者がいたことを意味しています。僕は知らず知らずのうちに、ここでも「世界」に触れていたことになるわけです。

　実際に高橋先生の拠点である本郷の研究室にいくと、助手や院生が手取り足取りコンピュータを教えてくれて、「君たちもこれからコンピュータを作るんだよ」なんて話をしてくれます。そこにあったのは、当時僕らが思っていたような単なる計算機としてのコンピュータではなく、コンピュータを何かの装置とつないで、それを動かすと音や光が出るというものでした。今となってはなんの驚きもない、当たり前の話ですが、「えー、コンピュータってこんなことができるのか！」と初めて知って、すごい時代がやってくるんだろうなと思いました。子どもの頃からメカ好きの僕は、コンピュータを使うおもしろさに惹かれたのもあって、物理学科に進んだのだと思います。

　本郷のキャンパスには「大型計算機センター」（現・東京大学情報基盤センター）というのがあって、僕らが読めるレベルの教科書には、そこに置かれていた国産のコンピュータに特化したものしかありませんでしたが、僕がそこで触るようになったのは、アメリカ発のソフトウェアが搭載された別のコンピュータでした。次第に僕たちは、夜に無人の大型計算機センターを使わせてもらうようになります。当時は、パンチカードという紙に穴をあけて情報を記録していたんですが、それに音楽の楽譜をオルゴールのようにパンチして、コンピュータに読み込ませる。そしてコンピュータに、音を出すインターフェースをつなげると、読み込ませた通りに音楽が鳴るんです。〝こちらが指示したいことをプログラムして、機械とやりとりするのは結構おもしろいな〟と思ったのが、ちょうど大学3年生になった1972年の春でした。

その頃、ぼんやりと思ったのは、「世界の最先端はコンピュータを使って、単なる計算機ではなく、もっと可能性を秘めたメカを作っているんだ」ということです。僕たちは「音楽が鳴るんだ、すごいなぁ」と何気なく遊んでいたけれど、振り返れば、ここから今の時代につながる技術やテクノロジーがたくさん出てくることになります。

当時のコンピュータにできることなんて、分かりやすく社会の役に立つものではないし、言ってみれば「学生の遊び道具」のようなものでした。しかしそこに、今の社会に不可欠なパソコンやプログラミングの基礎的な考え方がすべて詰まっていました。

いま思えば、学生時代に無邪気に遊んでいたものの中に、最先端があった。そして、およそ役に立ちそうにないものが、将来、社会に欠かせないものにつながる。大学は、そういう場でもあるんですね。それは今も昔も変わらないと思います。

それから僕にとって大きかったのは、英語です。3年の後期にあったゼミ形式の講義は、日本語禁止で、すべて英語でやるというものでした。担当の先生はアメリカの大学で研究して、最先端の物理学に触れてきた人だったため、当時の大学では珍しく「すべて英語でやります」と宣言して、学生にもそれを求めていました。

テキストは「サイエンティフィック・アメリカン」（アメリカの一般向け科学雑誌）に掲載されている、論文ほどは難しくないテキストでしたが、それをちゃんと英語で読み、先生との議論や学生同士の議論も英語でやることが義務付けられたので、僕の意識はそこでだいぶ変わりました。

この世界で食っていくには英語力は不可欠ですが、それをなんとなく頭で理解したつもりになっていても、実際に体験していないから本当のところでは分かっていない。しかし、アメリカで学位を取って活躍してきた先生を目の前にすると、肌で〝英語力は必要だ〟と感じるわけです。

その先生が、英語で当時のアメリカの研究事情も説明してくれる。例えば素粒子実験という分野は、日本とアメリカの国力の差が、そのまま学問のレベルの差に結びついていた時代でした。「そうか、アメリカではそこまでハイレベルな学問をやる人たちがいるのか」と、生《なま》の話を聞きながら体感するんです。

日本で周りを見渡しても、そんなレベルで研究している人はあまりいないのが現状で、僕はそうした話を通して「世界の最先端」をあらためて意識させられました。

「研究は自分でやるもの」——楽しそうに放任する恩師

そんなこんなで、僕も4年になり、初めて研究室配属を決めることになりました。誰の研究室に行って「プロ」を目指すのかということです。東大の物理は、当時も今も大学院進学が基本なので、4年生は前期・後期で半年ずつ実験と理論の研究室に所属して、そこで先輩たちから教えてもらいながら、アカデミズムの基礎を学びます。

後に僕も教員になってからやりましたが、伝統的にこの時期には、ゼミ生をリクルートするための学生向けのガイダンスが開かれます。そこで教員が「うちへ来たらこういうことをやらせてあげますよ」という話をして、学生が「じゃあ私、ここに行きます」といった形で希望を出して決めるんです。僕が選んだのは、大学院でも指導教授になる山崎敏光先生でした。専門で言えば、原子核物理の研究室です。

山崎研究室を選んだ理由は、ちゃんと覚えています。それは最初のガイダンスで、山崎先生が「僕は忙しいから、君らの相手をしない」と言ったことです。それもなぜか、ものすごく楽しそうに。

最初は〝おぉ、面倒見てくれないのか〟と面食らいましたが、続けて山崎先生は、何が忙しいのかを語り始めました。それを聞けば、ますます楽しそうな理由も分かりました。

今、アメリカのカリフォルニア大学バークレー校で実験をやろうとしていて、アメリカと日本を行き来していること。それから、自分の研究室は本郷にはないこと。どこにあるかといえば、白金台にある「医科学研究所」の中にあるサイクロトロン棟というところで、そこにはサイクロトロン（電気を帯びた粒子を加速するための装置＝加速器。原子核反応の研究、放射性同位体の製造のほか、がん治療などにも使われる）があったんです。

「昼間は医療用だから使えないけれど、夜は空いているので僕らが使うことができる。自分は主にバークレーにいるので、学生の皆さんは夜のあいだ適当に来て、サイクロトロンを使って実験してください」――というのが、山崎先生の説明でした。

サイクロトロンは、使うと被ばくの可能性があるため、厳重に管理しなければならない装置です。研究生でもない限り、施設には自由に出入りできません。実際に、棟の中は放射線管理区域として扱われています。

そんな世界の最先端の装置にも触れる環境がある。自分が実際に行けるかは分からないけれど、アメリカでの研究もおもしろそうだし、よし、ここにしようと決めたのです。

研究室の所属になると、ガイダンスでの触れ込み通りサイクロトロンは夜通し使うことができ、そのうち僕も自分で運転できるようになりました。制御室に入って、電圧を変えたり、磁石に電流を流したり……いろいろな実験をやりました。実際に、研究室は放任でした。本当に山崎先生はしょっちゅういなくなるので、なんでも自分たちでやるしかありません。

そこで加速器以上に僕に大きな影響を与えたのは、研究室にもコンピュータがあって、それを実験装置とつなげることができたということです。そういえば、山崎研究室に当時いた技官は、すごいことにゲルマニウム半導体検出器を自作していました。これは2011年以降に大注目されることになる、放射性物質も検出できる装置です。

コンピュータを実験機器とつなげることで何ができるかというと、今風に言えば、プログラミング言語（当時は機械語と呼んでいました）をコンピュータに書き込んで、実験機器で検出したデータを、自動的にグラフとして書き出すことです。山崎研究室では、学部生でもコンピュータを自由にプログラムすることが許されていて、データを取って解析するためのプログラムを自分で書くのも自由でした。

今なら、何を当たり前な……という話ですが、当時の学部生は、実験室にストップウォッチを持っていって、いろいろとデータを取り、その数字を手書きで記録して、それをさらに手書きでグラフにする、ということが普通だったんです。僕はコンピュータを触っていたので、実験装置をつなげて、取得したデータをもとにグラフをつくるプログラムを書けば、手書きグラフよりも効率的で、正確に解析できるということをすぐに思いつきました。

ここで、遊びとサイエンスが結びつくわけですね。当時こんなことをやっていたのは、東大では僕たちの研究室くらいだったと思います。ポイントは「何が無駄な遊びで、何が研究の役に立つかはまったく分からないこと」にあります。

僕がコンピュータで遊んでいたのは、なにか高邁な目標があったからではなく、何よりも最先端の機械を動かしているのが楽しかったからです。子どもの頃にラジオを自作したり、カメラを動かしたりするのと同じような楽しい感覚で触っていたものが、ある日突然、役に立ってくる。コンピュータと物理の世界を掛け合わせると、学生でも意外なところで新しい動きをつくることができたのです。

自由に新しいことができる環境が、僕にとっては良かったのでしょう。通常は半期ずつ理論と実験の研究室に所属するため、実験系の山崎研究室で過ごしたあとは理論の研究室に移ってバランスよく学ぶのですが、僕は1年間どっぷり山崎研究室にいました。手先を動かすことが好きだし、腰を落ち着けて理論をじっくりやるのは向いていないとも思ったんでしょうね。

昼間のサイクロトロン棟は、中性子のビームでがんを治すという研究をやっていたので、そのために働いている技術職員の人や、たまに出入りするお医者さんの姿も間近で見ていました。同じ機械を違う分野の人たちが使っている様子を見るのは、僕にとっては良い経験で、自分以外の視点でものを考える良い機会にもなりました。

自由放任で、いろいろな分野の人たちが出入りする環境。常に世界の研究が身近なものとしてあったのも、居心地の良さにつながっていたと思います。

1973年の放射能汚染

1973年、つまり大学4年の時には、もうひとつ忘れられない出来事がありました。中国の核実験です。夏の、雨が降る日のことでした。サイクロトロンがある部屋の出入り口には放射線のモニターがあって、体が放射線で汚れていないかをチェックしてから外に出るというルールがあります。

その日に研究室の技官が通ったところ、アラームが鳴り響いたんです。これはサイクロトロンで何か大変なことが起きたに違いない、ということで、学生の僕たちもすぐにサーベイメーター（携帯できる放射線測定器）を持って、実験棟の内部やサイクロトロン周辺を調べ回りました。

僕が測定した限りでも、技官だけでなく結構な数の人たちが汚染されている。調べてみると、放射性物質で汚染されているのは、外に通じる廊下でした。足跡のように飛び飛びに汚染が検出できる。さて、一体何が起きているのかと考えるわけです。

どうも、実験棟の内部では何も起きていない。外は濡れた落ち葉や地面まで汚染されている。そこで技官を見ると、雨で髪の毛が少し濡れているんです。それを計測すると、ものすごい数値が出る。シャワーを浴びてもらって、もう一度測ると今度は問題がない。

先述のゲルマニウム検出器もあったので、汚染源を調べてみると、どうも核分裂以外では生じ得ない放射性物質が検出されるんです。僕たちはここで確信しました。どこかの国が核実験をやったに違いない。放射性物質を含んだ大気が流れてきて、東京で雨が降った際に、一緒にかなりの量の放射性物質が降ってきたということです。

後日、１９７３年６月27日に中国が核実験をやったということが明らかになり、やっぱりと思ったものです。僕たちは、科学の知見や科学技術が人間を幸せにするために使われるだけではなく、核爆弾とも結びついているということを肌で知りました。

このような事件もありながら、僕は大学院に進学し、そのまま山崎研究室で研究者修業を始めます。あいかわらず山崎先生はバークレーと東京を往復しているので、その間、別の先生が面倒を見るということで、パウル・キーンレというドイツ人の科学者がやってきました。僕の大学院生活は、彼のドイツ語なまりの癖の強い英語とともに始まります。

キーンレ先生はドイツでも名の通った研究者で、以前来日したときに山崎先生たちと交流を持った縁でやってきたとのことでした。医科学研究所の隣に東京大学がインターナショナル・ロッジという外国人宿舎を持っていて、彼はそこに住むことになったのですが、これがサイクロトロン棟から歩いてすぐのところだということもあって、先生にはまぁいろいろなことを頼まれました。

最初の注文は、短波のラジオが聞きたいというものでした。〝研究と全く関係ないけれど、先生が言うんだからやるか〟と、僕は短波ラジオを聞くためのアンテナを張りました。少年時代にアマチュア無線もやっていたし、ラジオも作っていたくらいだから、組み立て自体は苦でもなんでもありません。それで彼が何をやったかというと、故郷のサッカーチーム、バイエルン・ミュンヘンの試合を聞いているんです。

次は、ビールが飲みたいと。つまみも欲しいから、大根を買ってこいという注文が飛んできました。そこで普通の大根を買っていくと、たいそうお気に召さない。「もっと細くて、辛いやつがあるだろう」というわけです。これはドイツの流儀なのか、それとも先生個人の流儀なのかは分かりませんが、大根を蛇腹状に薄く切って適当に塩を振り、それをむしりとりながら食べていました。どうやら辛味大根みたいなものを求めていたようなのですが、当時の近所のスーパーにそんな大根があるわけもなく、入手に苦労した記憶があります。

後で聞くと、彼はドイツでも変わり者で通っていた研究者でした。それでも実績のある先生でしたし、普段付き合う直属の先生がいきなりドイツ人になったということで、僕のマインドは常日頃から国際的な研究事情を意識するものへと一気に変わっていきました。

普段から使う言語も英語になり、いよいよ本格的な研究者生活が始まる――そんな矢先、転機がやってきます。

ノーベル賞学者をファーストネームで呼ぶ風土

夏休みに帰国した山崎先生から、秋からバークレーに来なさいと言われて、僕は修士1年で急遽アメリカに行くことになったのです。山崎先生としては、研究に人手が必要だし、僕は英語でのコミュニケーションもできそうだから……くらいの気持ちだったのかもしれません。

僕はすぐに、行きますと返事をしました。ここで「単位はどうなるんだろう」とか「現地のお金ってどうすればいいんだ？」と考えるのが普通なのかもしれませんが、僕はまったく考えなかった。

「来いって言うんだから、行けばなんとかなるだろう」と思い、とにかく飛び込んでみようと考えたんです。スズキ・メソードの演奏旅行以来、いつかアメリカに行きたいと思っていた僕にとっては、このチャンスを逃したくないという思いのほうが強かった。そして実際に、行けばなんとかなりました。山崎先生が大学にかけあってくれたようで、研究を手伝うことで単位も出たし、スタッフとして滞在費も出してもらうことができました。これは、東大物理の修士学生が在学のまま海外に長期滞在した、初の例となります。

今でも覚えていますが、バークレーで最初に衝撃を受けたのは、当時世界でもっとも大きかった184インチ（4・67メートル）のサイクロトロンを間近で見たことです。大きさに圧倒されました。日本でも学生の身分でサイクロトロンを扱い、コンピュータと機器をつないで……なんてやっていましたが、もうすべてが比にならない。今まで見ていたものだって十分にすごいと思っていたけれど、アメリカの研究施設は日本のそれとは機械のスケールも、実験チームの規模も何もかも違っていました。

例えば、当時バークレーの研究所の中には、リアルタイム・システム・グループというのがあって、それは研究所の中のコンピュータと実験装置をつなぐことを専門的にやっている集団でした。彼らは物理学者ではなく、言うなればエンジニアです。驚いたのは、彼らはバークレーで実験をするかたわら、カリフォルニアのベイエリアを走っているBART（バート：ベイエリア高速鉄道）の無人運転電車を走らせる仕事をしていたということです。彼らは電車を自動運転するためのコンピュータ制御のシステムを作っていました。

僕たちが日本で「コンピュータと実験機器をつないでグラフを書けた」と喜んでいた時期に、アメリカではコンピュータと鉄道がつながっていて、実際にお客さんを乗せて無人運転で運行していたわけです。これだけでも、国としてのスケールの違いを見せつけられます。

僕は「そうか、こういう人たちが研究室で物理学者のサポートをしつつ、電車のシステムを作っているんだ」と驚きました。半分アカデミズムの世界、もう半分は産業の世界にいる人たちが気軽に研究所に出入りして、みんなでわいわい仕事をしている。今でこそ、「産学連携」という言葉は当たり前に使われますが、当時の日本の大学ではまずありえないことで、僕は研究に使われる技術がダイレクトに世の中で活用されている様子に衝撃を受けました。

さらに、アメリカでは1970年代の時点ですでに多国籍な研究チームができていて、世界各国の研究者が議論を交わす環境がありました。僕は無人運転電車のシステムに関心があったので、それを作っているアメリカのコンピュータ技術者たちと交流するようになり、自分が知っていることが世界と比べてどのくらい遅れているのか、自分はどこまで追いついているのかを知るようになりました。

もうひとつ、アメリカの研究風土を表すエピソードがあります。僕が初めて生で見たノーベル賞受賞者の話です。「反陽子」の発見によって1959年にノーベル物理学賞を受賞し、現代物理学の新しい地平を切り開いたオーウェン・チェンバレンが、普段から研究所の界隈をぶらぶら歩いていました。彼は研究所で最も著名な人物のひとりです。挨拶に行こうと思ってある日探していると、周囲の研究者たちは「ハイ、オーウェン」と気軽に声をかけているんです。〝おぉ、こっちはノーベル賞学者であってもファーストネームで呼び合うのが普通なのか〟と驚きました。僕もその後、指導教授とはファーストネームで呼び合うようになりましたが、変に上下関係にとらわれず、気軽に呼び合うほうが僕にとっては雰囲気がいいし、風通しも良くて合っていました。

僕がそんな風にバークレーの研究所をうろうろしていた1974年の11月には、素粒子分野で今ではNovember Revolutionと呼ばれる、革命的な大発見がありました。「4番目のクォーク」と呼ばれる、チャームクォークが発見されたのです。クォークというのは素粒子の一種で、それまでは3種類しか見つかっていませんでしたが、4番目があるかもしれないということは、理論的にはすでに言われていました。クォークが実は6種類あるかもしれないと予言する論文も、日本の小林誠・益川敏英両氏によって前年の1973年に発表されていました。これは後に2008年のノーベル賞受賞につながる論文なのですが、今はそれには深入りしないでおくとして、大事なのはこの時、実際に4番目が見つかったということです。

それが発表されると、研究所中が大騒ぎして、みんながそこかしこで議論をし始めました。僕は〝すごいことがあったんだなぁ〟と横から見ているばかりでしたが、何かが発見されると世界トップの科学者たちが集まって、僕よりちょっと上くらいの科学者の卵たちとも同じ目線で議論している。こんな研究環境を知ると、「ああ、やっぱり世界の最先端を知るには、日本を飛び出して、アメリカで研究を続けなければダメだ。今まで自分が見ていたのとは全然違う世界がここにあるんだ」と考えるようになってきました。世界のトップを想像するだけでなく、リアルな存在として初めて摑めるようになってきたのです。

結局、頭でイメージしたり、考えたりしていることと現実は全然違っていて、最後は自分で経験したこと、飛び込んで考えたことのほうが強い。漠然とアメリカに行ってみたいとは思っていたものの、「行って世界を知りたい」くらいまでしか考えていなかった僕も、最先端の現場に肌で触れることで目標が明確になっていきました。

世界の研究環境に身を置いて、自分が専門とする物理学で博士論文を書く。それで科学者としてのキャリアを始める——という目標です。

宇宙の始まりを知る装置

とはいっても、僕はそのままアメリカにいたわけではなく、この後すぐにカナダへ向かいます。バンクーバーにトライアンフ研究所という施設があり、そこにも大型のサイクロトロンが完成しつつあるから、ちょっとそこで研究しようと山崎先生に言われて、行くことになったのです。

このサイクロトロンが最初に加速に成功したのは、1974年の12月15日でした。僕が大学院修士1年の年の冬です。僕はその瞬間、現場にいました。世界中から集まった何十人もの研究者とともに、みんなで稼働を祝って拍手をしたことを覚えています。ちゃっかりメンバーに混ざっていましたが、僕はここではおそらく最年少だったでしょう。

さて、ここで、サイクロトロンのような「加速器」とは一体どんな装置で、何を研究しているのかを簡単に解説しておきましょう。

現代物理学がこぞって解き明かそうとしている問題のひとつに、元素の起源、もっと言えば「宇宙の起源とは何か？」というものがあります。宇宙も人間も、世の中にあるものはすべて物質でできていますよね。それはもとはといえば、138億年前の宇宙の始まりの直後に陽子が生まれ、それに電子がくっついて水素の原子が出来上がったのが最初です。やがて星が出来上がり、星が寿命を迎えると超新星爆発が起きて、元素が宇宙空間にばらまかれます。水素原子の年齢は宇宙の年齢と同じなので、人間の体を構成している水素原子も、宇宙の誕生から巡り巡っているわけです。

古代ギリシャ時代から長い間、物質の最小単位は原子だと考えられていました。しかしその後の研究で、どうも物質を構成している要素には、原子よりさらに小さいものがあるということが分かってきたんです。

それが、「原子は原子核と電子で構成されている」という発見です。そして原子核は、陽子と中性子から構成されているということも分かりました。原子核は、一番小さいものだと陽子1個だけでできた軽水素の原子核があり、陽子1個と中性子1個でできた重水素の原子核がそれに続きます。大きなものでは、ウランやプルトニウムの原子核は陽子と中性子があわせて200個以上集まって安定しているのですが、そもそもどうして陽子同士や、陽子と中性子がくっついているのかは、分かっていませんでした。

そこで「陽子と中性子、陽子と陽子、中性子と中性子の間には『中間子』というものがあるはずだ」と理論的に予言したのが、湯川秀樹先生です。湯川先生のおかげで日本の物理学は世界へと意識を向けることになったと言ってもいいでしょう。

中間子は、宇宙から地球に降ってくる宇宙線のなかに含まれる、とても小さい粒子のひとつなので、予言があっても肉眼で観察することはできません。では、当時の科学者たちが湯川先生の中間子を見つけるためにどうしたか。最初は、アンデスなどの高い山に分厚い写真乾板を持って行き、それで大気の上空から降ってくる宇宙線を拾って、現像するという方法が取られました。地上ではなかなか観測できない粒子だから、より宇宙線を拾いやすい高地なら中間子を拾えるかもしれない、と考えたわけです。

その時、予言の通り粒子が存在するという証拠写真が写ったことから、湯川先生は１９４９年にノーベル賞を受賞しました。観測された粒子は「π《パイ》中間子」（今では「π粒子」）と呼ばれるようになり、どんな物理学の教科書にも掲載される歴史的な発見となりました。

ところで、中間子は数千メートル級の山の上に行けば拾えるのに、なぜこの地上まで来ないのか。それは、途中で壊れてしまうからなんです。π中間子は崩壊すると、「μ《ミュー》粒子」（ミューオンとも呼ばれます）というものになります。μ粒子はπ中間子よりは寿命が長いため、ちょっとだけ地上にも降ってきていて、人体やコンクリートも通過するという性質を持っていますが、それでもとても短命で、だいたい50万分の１秒で崩壊してしまいます。

それに、これらの粒子はきわめて量が少ないため、性質を詳しく調べようにもなかなか調べられない。だったら、自然界には存在しない状態を用意して、人工的に作ってみたらいいじゃないか――。こういう目的で、人工的に中間子を作り出す加速器ができたのです。

トライアンフ研究所のサイクロトロンは、日本語では「中間子工場」、英語では「Meson factory」という名前がついた加速器です。つまり、中間子を作る装置ということです。円型の加速器であるサイクロトロンは、電荷をもつ粒子をぐるぐる回しながら加速し、標的となる原子核にぶつけることで崩壊させて、自然界では単体で安定して存在しないようなものを生成します。これによって、わざわざ高地までいかなくても、中間子を大量に作り出して研究ができるようになりました。

加速器に関わる科学者たちの最終目標は、原子核や素粒子の研究を通じて、当時はそういう名前では呼んでいませんでしたが、「標準理論の破れ」を観測すること――僕たちがまだ知らない物理法則を見つけるということにありました。それが、宇宙誕生の謎を解き明かすことにつながるのです。

当時はこの研究ががん治療に結びつくんじゃないかという応用研究も盛んで、実際にπ中間子を使ったがん治療というのがちょっとしたブームになっていました。その後、陽子線治療の方が治療成績も経済性も優れていることが確立したため、この研究はもう誰もやっていませんが、ともかく僕がメカを使って、純粋におもしろそうだからと研究を進めていると、横で他の分野の人たちが「あれ、これなんかに応用できそうだ」と言い出して、別のものにつながっていく可能性がある。結局のところ、何がどう結びつくのかは誰にも分からないのが科学の世界なんだ、ということも、肌感覚で知ることができたのです。

20世紀の最初の頃にはあまりよく分かっていなかった物質の成り立ちについて、人工的にいろいろな粒子を作って研究できる環境が格段に整い、今後はこれまでの物理学の標準理論では考えられなかったような現象さえも人間が観察できるようになるかもしれない……そんな期待が高まった時代に、僕は科学者としての最初の一歩を踏み出したことになります。

日本の湯川先生が地平を切り開いた分野に世界中の研究者たちが集まり、その中には技術者もいれば物理学者もいて、同じ物理でも理論の人や、僕らのような実験の人もいる。あるところではいち早く新発見をして論文を書くという競争でありながら、もっと広い目でみれば、人類が協力して「科学」というひとつのプロジェクトを前に進めている——それが当時の研究所の環境でした。こうした環境で研究の第一歩を踏み出せたことは、幸運だったと思います。

幸運といえば、英語でのコミュニケーションも、トライアンフでの生活で相当に鍛えられました。山崎先生は日本とアメリカを往復する生活だし、もうひとりバンクーバーに来ていた研究室の先輩は家族連れだったので、「とりあえず早野くんは住むところを自分で探しなさい」と言われたのです。今でも記憶にあるのは、シェアハウスです。現地の新聞に広告が載っていて、〃4部屋あるうち学生向けのベッドルーム（部屋）がひとつ空いているので、住む人を探しています、希望の方は面接をやるのでこちらに連絡してください〃と書いてあります。連絡するとその家の人に面接されて、そこで暮らすうえでのルールを説明されました。

そこは一軒家で、カナダ人の夫と香港出身の妻という夫婦が一部屋、その香港出身の妻の弟がもう一部屋に住んでいる。それからカナダ・アルバータ州から大学に進学してきたユダヤ系の女子学生がひとりいて、そこに僕という、これまたインターナショナルな環境でした。

ルールというのは、例えば食品はみんなの共有で、誰かがスーパーで買い物して物品を買ってきた場合は、「自分はこの買い物にいくら払った」ということを冷蔵庫にメモで貼っておく。そしてそこからそれぞれが使ったものをメモして、みんなで月末に精算する。それから、夕方の6時半には、そこにいた人の人数分だけ晩御飯を誰かが作る。遅刻した人の分は作らなくてよい。他には、シーツなども週末に全員で洗濯をして干して、それを戸棚の中に積んでおき、上から順番にみんなで使うとか、庭の芝生を刈る順番を決めるとか、いろいろありました。

ひとつひとつのことが、自分でコミュニケーションを取らないと何も分からないという環境でした。時々開かれるハウスパーティーでは、各自が自分の友達を連れてくることになっていましたが、そこでも自分から他の人にコミュニケーションを取っていかないと「あいつ、つまらないな」と思われてしまいます。大変だったのが電話で、これも共有でした。最初はかかってきた電話を取ってもうまく英語が聞き取れず、つなぐ相手を間違えると大変なことになって、女子学生にはよく怒られました。

日常的にコミュニケーションを鍛える環境に身をおけば、研究者同士の会話なんていうのは共通の土台や専門用語がある分、ある意味で楽になっていくんですね。

〝置き去り〟が人を育てる

さて、話を実験に戻しましょう。応用研究の可能性に注目が集まっていたこともあり、当時は中間子工場を作ろうというのが世界的なトレンドで、カナダのトライアンフ研究所のほか、ヨーロッパではスイスのチューリッヒの近くにもやはり似たような装置がありました。何より有名だったのは、あのロスアラモスにあった実験施設です。

ロスアラモスと言えば、日本に落とされた原爆が開発されたことでも有名なアメリカの研究所です。最初に行くときには複雑な気持ちがありましたが、現地に行けば感傷的な気持ちに浸る間もないくらい実務的なやりとりが続くのが、実験の現場です。

山崎先生から「ロスアラモスでも実験することになったから、まず君が行って準備しておきなさい」と言われて、僕はボロ車に乗って、バンクーバーからロスアラモスがあるニューメキシコまで運転していきました。到着してからは、「東京から来て実験をさせていただくことになりまして」と向こうのリサーチ・ディレクターに話をつけて、「僕らは実験場のどこを使っていいですか？」というやりとりに始まり、場所を確保したらしたで「ここ、物を置いてもいいですか」とか「これ、ないんですけど」「ケーブル引いてもいい？」とか、ひとつひとつ交渉して、実験ができるような環境を作っていきました。

ロスアラモスでは軍事研究も行われているので、町中どこでも、常に首から認識票をぶら下げて暮らすことになります。研究施設だけを使う僕たちのタグは枠が赤で、いろんな施設の中にまで入れる人は青です。軍事機密がいたるところにありますから、このネームタグを見ただけで「廊下を右に曲がっていい人たち」と「曲がってはいけない人たち」に分かれるわけです。それからコピー機のアクセス権ももちろん制限されていて、図書館も分かれています。

そんなところに学生ひとりで放り込まれると、当然意識が変わってきます。全てが用意されて準備万端整っている、「どうぞ研究して、頑張って論文書いてください」という環境とは真逆で、実験はケーブルを自分で引っ張るところから。これがトライアンフでもロスアラモスでも、僕の基本でした。とても面倒でしたが、では嫌だったかというとそんなことは全くなく、僕は楽しんでやっていました。身分は学生でも、お客さん扱いではなく、プロジェクトの一員として研究に関われるのが嬉しかったからです。

先輩や先生が全部お膳立てしたような場所では、およそ修業になりません。「周囲に日本人もあまりいない環境で、自分の手で一から組み立てることによって世界の最前線を知る」――そんな意識がありました。

ロスアラモスで準備した実験から、僕たちはカリフォルニア工科大学のチームと一緒に論文を仕上げることになりました。注目される結果になったかというと、必ずしもそうではありませんでしたが、これが不思議なことに、後のジュネーヴでの研究へとつながっていくんです。それはまた章をあらためてお話しします。

カナダに戻り、肝心の博士論文をどうしようかなぁと考えるようになった1977年には、ちょっとした事件がありました。僕が博士課程2年の頃です。

トライアンフの施設は各国の研究チームが順番で使っているのですが、この時は僕たちの順番が回ってくるまで時間があったので、僕は例によってコンピュータを自由に使っていいという許可をとり、コンピュータの先にデータを取ってくる測定器を直につなげて、測定したデータをコンピュータに取り込んで解析できるようにプログラムを組んだり、当時の最新のコンピュータゲームで遊んだりしていました。

もちろん遊ぶだけでなく、他の人たちの実験の手伝いもしていて、それはそれで楽しかったのですが、自分がその頃取りかかっていた論文も、そろそろ仕上げなければいけない。それで、いよいよ順番が回ってきて実験をするぞとなったときに、僕たちのライバルでもあるスイスの研究所の実験チームが、μ粒子についてこれまでの常識を覆すような大発見をしたらしい、という一報が入り、それが本当だったら物理学史に残る発見になるということで、研究所が大騒ぎになったのです。トライアンフ研究所としては、スイスの発見が本当かどうか自分たちも実験して追試をしなければいけないということで、加速器はその実験を優先するという方針が決まりました。僕らの実験には待ったがかかり、僕は隣のグループが駆り出された追試を興味深く見守ることになりました。

結局、スイスの大発見は追試で確認できず、幻に終わったのですが、僕はこの一連の出来事から大きな学びを得ました。「世界の研究者たちはこぞって最先端を競っている。たとえ新しい結果を出したと思っても、それは次の瞬間には世界中からの追試によって検証に次ぐ検証を受け、そこで再現ができなければ、結果は覆される」——そうした科学のプロセス、科学のダイナミズムを、この時目の当たりにしたのです。

偶然生まれた出世作の博士論文

博士論文というのは、研究者としての免許皆伝のようなものです。自分も世界を目指すひとりとして、何か足跡を残すようなものを書かなければダメだということは自覚していました。翌78年はいよいよ博士3年目になり、年末までに博士論文を書かなければいけない時期になりました。

そこで僕が書いた博士論文は、専門的にいうと「ゼロ磁場緩和」の初の実験的検証というものです。もとはといえば、一時的に東京に戻った時にたまたま実験で使えそうな装置を手に入れたので、それをカナダに送ってトライアンフの中で組み立て、実験に取り組んだのです。最初は作った装置の動作テストがてら、μ粒子をゼロ磁場におく、スピンに対して縦向きに磁場をかけてみるという実験をして、そこでデータが取れたので、東京の山崎先生に送りました。その頃は、「μ粒子のスピンに横向きに磁場をかけるとどうなるか」という研究は結構あったのですが、縦向きに弱い磁場をかけたり、あるいはゼロ磁場を作ったりしたときにどうなるかという研究はあまりありませんでした。しかし、どうも僕たちが自作した機械ならその実験ができそうだ、ということになり、やってみたんです。

μ粒子は、もともとスピンしているのですが、そのスピンに対して横向きに磁場をかけると、すりこぎのように回転します。そして、磁場をかけなければ回転は起きないはずだと考えられていたのですが、データをみると、ゼロ磁場でもどうもゆっくりと回転が起きているようなのです。僕は〝おっ、なにやら意味ありげなデータが取れたぞ〟と思って、その記録を東京に郵送しました。当時のカナダはなにかにつけてストライキが頻発していたので、送るのにはおそろしく時間がかかりました。

しばらくして、そのデータをおもしろいと言ってくれたのは、山崎先生ではなく、山崎先生からこの実験結果を聞いた理論系の久保亮五先生でした。久保先生の研究室で、かつてこのことを理論として論文にまとめた人がいて、その理論に基づくとゼロ磁場であってもスピンの回転は起きると予想されていたのです。当時はそれを実験で確かめる方法がなく、久保先生自身もこの研究のことを忘れかけていたと聞きました。

東京から届いた手紙には、「もっと長い時間観察して、データを取ってみてほしい。スピンの回転は１８０度以上になるのではないか」とありました。すぐにやってみて、分かりました。まさに久保先生が予測したとおり、時間をかけてデータを取ると、スピンはほぼ1回転していたのです。このデータには興奮しました。まったくの偶然から、僕は当時、まだ誰も実験的に検証していなかった法則を発見し、データを手に入れたことになります。

この発見で僕は博士号を取ることになり、僕が書いた博士論文は久保先生も共著者に名前を入れる形で、１９７９年に「フィジカルレビュー」誌に掲載されました。嬉しかったのは、これがトライアンフ研究所から出た初の博士論文になったこと、そして結果が科学界からも高く評価され、発表から40年以上経ったいまも多くの研究に引用され続ける論文となったことです。その後一躍大ブームが起こった「高温超伝導」という研究分野において、僕の論文が基礎として引用され、全世界の標準的な知識として広まっていきました。

「これはおもしろい」という偶然が重なって研究が進み、それが積み上がることで、いずれ社会の役に立つものが生まれる。これは、当時は分からなかったことですが、今ならとてもよく理解できます。

山崎先生は、「君、このテーマで博士論文を書きなさい」というようなことは絶対に言いませんでした。本当に、何も言わない。本人が自分でテーマを見つけてきて結果を出すのを、ずーっと待っているんです。この経験から、後に僕自身も「指導教授とはこうあるべきだ」と思うようになりましたが、実際に指導する立場になると、口を出したくなる瞬間の方が多いし、手を貸した方が学生も自分も楽です。「あの先生の研究室に行ったら何も教えてくれなくて、博士号を取れませんでした」なんて言われたら嫌だし、さっさと教えたくなります。

でも、山崎先生はずっと待っていた。それは、学生にものすごいチャンスを与えているからです。僕を海外の研究施設に連れて行き、当時の第一線の研究者がすぐ隣にいるような研究環境を与えてくれた。僕としても、ここで何も身につけられなかったら終わりだ、くらいの覚悟はありました。

実際にバンクーバーで何も書けなかったら、東京でも何も書けず、科学者としてはノーチャンスだったと思います。それが自分で分かっていたから、僕はチャンスをものにするために、博士論文になりそうなネタを拾って、なんとか形にすることを続けました。研究者の世界には、何を論文にするかの正解はありません。「自分で思いついたことをいかに形にするか」が大事だということを、ここで学びました。

振り返れば、僕はアメリカやカナダで過ごした大学院生活を通じて、コンピュータの知識や英語力だけでなく、単身ロスアラモスに乗り込んで「私に施設を使わせてください」とプレゼンする交渉スキル、論文を一から書けるようになる力、そして実験をするために必要なデスクワークも、身につけていました。言葉、研究、交渉の能力を総合的に高めて、どういうレベルまで達すれば世界で戦えるレベルになるのかということを、若いうちから身をもって経験できた、濃密な修業時代でした。

第3章 人がやらないことを見つける——つくば

アマチュアの心で、プロの仕事をする

「国際的なこと」「学際的なこと」そして「他の人がやっていないこと」をやる。それが一番おもしろい——。

僕は博士論文を書き上げたことで、自分が本当にやりたいこと、科学者として目指したい姿勢とはこういうものだと発見しました。この博士論文は、僕が科学者人生を通じておこなった全ての研究のなかで、物理の世界に対してはもっとも高い貢献ができた研究ではないかと思っています。現在でも、この論文は内容がまったく古くなることなく、引用され続けているという事実がそれを証明しています。というのも、ある分野においては、まずは僕がこの論文に書いた方法論やプロセス、成果を参照することが第一歩になっているからです。ごく専門的な一領域の話ではありますが、これは僕の研究がひとつの分野の基礎を作ったことを意味しています。

僕はその分野では、ひとつの新しい測定手段、しかものちに業界標準となるやり方を発見した人として認知されています。でも、これは前章でも説明した通り、偶然の産物

です。研究というのは偶然の産物が力をもつもので、思っていたのとは全然違う出口に出てしまうことがあっても、実はそっちの方がよかったということがある。僕は博士論文の経験から、このことをつくづく実感しました。僕がバンクーバーで実験をした時、久保先生が偶然にも僕のデータから過去の理論的予言を思い出してくれることがなければ、決してこういう論文を仕上げることはできなかったのです。

科学の世界は必ずしもプロセス通りにはいかないけれど、だからこそ偶然も起きる。世の中には「セレンディピティ」（偶然に予想外の発見をすること）というのが本当にあって、偶然を楽しめるかどうかが科学を楽しめるかどうかを決めると痛感した出来事でした。

さらに面白かったのが、当時僕は26歳でしたが、バンクーバーで発表した博士論文のプレビューが、それなりに評判になったことです。国際会議でトークを頼まれて、今でいうプレゼンテーションをしました。それが終わればまた別の研究所に呼ばれて、プレゼンやトークセッションをすると、「今度はうちでもひとつ頼む」と……結構な数のオファーが来ました。日本の研究者にハヤノというのがいて、ちょっと面白い研究成果を発表したらしいぞ、という感じで、国際的な場に呼んでもらえるようになったのです。

そうなると、やっぱり「研究成果を人に知ってもらうこと」がいかに大切かを学びます。自分の仕事を人によりよく知ってもらうためには、それなりのしゃべり方をしなければいけません。当時は今のようにプレゼンが大事だとか言われる時代でなかったし、日本人の学者なんて「研究はできるかもしれないけど、国際学会で話を聞いていても、ずっと下を向いてぼそぼそと原稿を読み上げているだけで、全然分かんなかったよね」というのが標準的な評判だったのですが、僕はアメリカとカナダで足掛け5年過ごし、英語も鍛えられていたこともあって、世界の学者がイメージしていた日本人学者とは違う奴がやってきた、という面白がられ方をしていたと思います。

物理学と一言でいっても、分野も違えば専門も多様なので、たとえある分野では一線級の学者であっても、僕の研究分野についてはよく分からないという人も少なくありません。そういう人たちを相手にプレゼンをすることで、僕はまったく分野が違う人に自分の説明を届ける最初の訓練をしたことになります。

基本的に、同じ内容の話を何回もプレゼンする機会に恵まれると、話す内容はブラッシュアップされるし、フィードバックをもらってさらに改善するということもできるようになります。誰に教えられずとも学んだ、プレゼンの実地訓練です。

博士論文がヒット作になったことで、僕はこうして付随する大きな経験を得ることになりました。やはり、科学者の世界でも「ヒット」は大事で、特に世界を意識するのならば、絶対にどこかの段階できちんとプロに認められる論文を出さないと、次の世界の扉は開きません。

僕にとって幸運だったのは、指導教授が実に軽やかで、明るい性格だったということです。山崎先生が大事にしていた姿勢が、「アマチュアの心で、プロの仕事をする」ということでした。物事の始めには誰もがアマチュアなのだから、新しいことをやるのに躊躇する必要なんか何もない。下手にプロの心で物事を判断してしまうと、「これは面倒だな」とか「これは大変そうだな」ということばかり気にしてしまって、本当はおもしろいことが起きるかもしれないのに、何も始めなくなってしまう。だから、アマチュアの心で始めることが大事なんです。

プロの仕事をするというのは、科学者として、科学の世界のルールに則り、仮説を立て、エビデンスを集め、それを検証するというプロセスや、科学的な思考を大切にすること。そして、最後は論文にまとめるということです。

山崎先生からこの言葉を最初に聞いた時には、何を言っているのかよく分からなかったのですが、僕は博士論文を書いた時、初めてその真意に触れた気がしました。英語で言えば、Interdisciplinary ——つまり、学際的であるということです。ある discipline（ディシプリン＝学問体系）とある discipline の間には、落っこちている領域がどこにでもある。

たとえばここに〇〇学という教科書があって、もうひとつ別の××学の教科書があったとします。学校ではそんなふうにもっともらしく専門分野に分かれた教科書で学ぶんですが、実はその専門と専門の間には、まだ名前もついていない領域があって、そこに懸け橋をかけてみると、未開の荒野が広がっているかもしれない。そこにアマチュアの心で飛び込めば、思わぬ偶然が落ちている「かもしれない」んです。

実際に見つかるかどうかは、やってみないと分からないけれど、山崎先生はその、落ちている「かもしれない」という心をとても大切にして、なにかにつけて「そっちのほうがおもしろそうだ（根拠はないけど）」を実践していました。これはすごい能力で、おもしろがるにも才能が要るんです。僕ら学生や周りの助手の人たちは、すぐに「先生、そんなこと言ったってね」と、分かったようなことを言う。すでに、悪い意味で「プロの心」が芽生えてしまっているんでしょうね。

でも彼は、いつも目をキラキラ輝かせて「これ、おもしろいんだよ。ほら、ほら」と言ってくるんです。

先生が見つけたことの全部が全部、おもしろい結果につながるわけではないし、時として見込み違いだったと判明することもあるのですが、中には、彼がおもしろいと言わなければ始まらなかった重要な研究がいくつもあります。

物事をおもしろがるにはまず才能が必要で、その上、山崎先生が久保先生を僕の博士論文に引き込んだように、自分がおもしろがっていることを人に伝えて、人を巻き込むにはもっともっと才能が必要——。この能力は万人が持っているわけではなく、特に僕たちのような基礎研究の分野でお金が必要な研究をチームでやるには、山崎先生のようなリーダーが絶対に必要だ、ということが、後々になってさらによく分かったのです。

研究室のメンバーは、山崎先生の「おもしろそうだ」にしばしば振り回されることになるのですが、僕は不思議と嫌ではなかった。それは彼がいつも、「楽しそうに」やっていたからです。もちろん人間ですから、本当は大変なこともあったと思いますが、それでもいつも「楽しそうに」していた。教授が仏頂面でうろうろしているより、楽しそうにしていたほうが、僕の性にも合いました。

それでも、「アマチュアの心で、プロの仕事をする」という言葉の真価に気がつくのは、まだまだ先のことです。この時点では、大きな学びにつながる最初の一歩を踏み出したくらいのものでした。

アメリカとカナダで学んだのは、研究だけではありません。自分のキャリア形成という意味でも、大きな刺激を受けました。アメリカの学生たちは、日本と全く違っていて、大学、大学院、就職の流動性がものすごく高い。僕はそれまで東京大学とその先輩たちしか知らなかったので、東大に入れば、東大の大学院に行き、東大で博士号を取り、東大の教員を目指すものだと勝手に思っていましたが、それがなんと狭い考え方なのか、と思い知らされました。

日本の学生は、自分の学科の教授などがなんとなくロールモデルとして見えてしまう。でもアメリカの場合は、たとえばコロンビア大学に入ったからといって、コロンビア大学の大学院に行って、そのままコロンビア大学のポスドクになって、教授に雇われるのを待つ、という学生はまずいません。「生涯、私はコロンビア大学のキャンパスから出たことがありませんでした」という形でキャリアを終える人も、まずいない。

学閥もないとはいいませんが、日本と比べればその力は圧倒的に弱く、そもそも大学から大学院に進学する段階で大半の学生が別のところへ動くのですから、あってないようなものです。さらにポスドクの段階で、また多くの人が動く。西海岸から東海岸に行ったり、東海岸から西海岸に行ったり、ポストの空きがなければ民間に出ていって、研究分野によってはそのままアントレプレナー（起業家）になって、会社を作る……。こうしたいろいろなキャリアが、当時からアメリカにはありました。

アカデミズムの世界で生き残ってどこかでポストを得るにしても、ポスドクで所属している研究室のボスに評価されて、そのまま上がれるということはまずない。アメリカはとてもオープンで、日本からやってきた僕のような学生でもあちこち出入りできる代わりに、コネも人脈も出身大学も意味を持たず、とにかく実力で上がってこいという研究風土がありました。さらに言えば、民間に出た後にまた戻ってきて研究を続けるというのも、全く問題なく受け入れられます。

だから科学者の世界は、日本でもグローバル化が世間よりずっと早く進んでいて、僕の先輩たちも向こうから声をかけられ、そのまま海外の大学に招聘されるというケースが当時からありました。僕とトライアンフで一緒に実験をしていた植村泰朋くんは、μ粒子で超伝導を調べる研究を続けて、コロンビア大学の物理の教授になりました。今でもその分野で、世界の第一人者としてやっています。

今から考えると、僕はこれからの日本の大学が目指すべき姿を、40年以上前にアメリカで見ていたということになります。この頃の僕は、「自分を測る国際的な物差し」がだんだん出来てきた気がしていました。このレベルではダメだ、このレベルならある程度までは行けるだろう、このレベルなら食っていける、と。どの世界でも同じだと思いますが、そういう感覚の有無がとても大事で、ある段階からは自分で判断しないと、人生の道を誤ることになります。

僕はもしもバンクーバーで博士論文を書けなかったら、サイエンスの世界にいることを諦めていたと思います。この環境で大した論文が書けないのなら、研究者としては無理だと分かっていたからです。書けなかった場合、下手にしがみついていても、ポスドクでいた先に「あなた、いらないよ」と言われる人生もあったかもしれない。そうなる前に、自分で見極めをつけなければいけません。

シビアですが、高校生の時に父が言っていたことはやはり正しかった。「世界の中の自分」を知ることでしか、キャリアは開けてこないのもまた事実なのです。

くすぶる科学者——残り続けた「医師」への思い

博士論文が一段落して、僕は帰国することになりましたが、その時点でどこかに職が決まっているわけではありませんでした。その時、山崎先生は例によって「これはおもしろそうなことができる」と、あるプロジェクトの予算を取るべく動いていて、僕もそこに入れと言われます。そのプロジェクトというのが、茨城県つくば市にある「高エネルギー物理学研究所」(現・高エネルギー加速器研究機構)の中に新しい実験施設を作り、そこに研究室も作るという話でした。

当時あった12GeV（ギガエレクトロンボルト）の陽子シンクロトロン（円型の加速器の一種）の前段加速器である500MeV（メガエレクトロンボルト）のブースターシンクロトロンを利用して、「中間子工場」のようなものを作るのだという計画で、これが出来ればカナダのトライアンフ研究所のサイクロトロンと同じエネルギーに達し、外国まで行かなくても日本でμ粒子を使った実験ができるようになるんじゃないかと言い始めたんです。それで予算要求をして、それがなんと通ってしまった。

正直、これには僕も驚きました。「本当に実現しちゃったよ」という驚きですね。しかも、先生はお金を取って来ただけでなく、若い人を雇うポストまで作ったんです。僕は任期なしの助手（今では助教と呼ばれます）のポストを与えられて、とりあえず食いっぱぐれることはなくなりました。それは良かったのですが、実はこの施設は、僕がそれまで実験してきたトライアンフの施設とはまったく機械の性質が違っており、それに頭を悩まされることになります。

トライアンフの実験施設では、μ粒子はランダムな時間間隔で1個ずつやってくる。「今、μ粒子が1個来た、こいつが壊れるまで見ていようね」といって、何マイクロ秒か待っていると、「ああ、壊れました。おっと、こっちにまた1個来ましたよ」「じゃあ、次のが壊れるのを待っていようか」……という具合に、ひとつずつ測る機械でした。

ところが、ブースターシンクロトロンというつくばの装置では、μ粒子が一気に10万個とかの単位で来てしまうようになっているんです。気が付いた瞬間には大量にそこにいる、という機械で、みんな「いや、ちょっとこれ、どうやって測るわけ？」と固まってしまいました。

今までとは実験の考え方も、そこで得られるデータのクオリティの管理の仕方も、ずいぶん違う。これはデータの取り方や測定器、そこにつながっているコンピュータのプログラムまで、今までの発想を根本的に変えないといけないぞと思うわけです。こんなふうに粒子が一気に何万個も来るような実験をしていた人は当時どこにもおらず、みんな1個ずつ丁寧に測る流儀でやってきているので、「そんなんで精度の高い実験ができるかよ」「いや、できねえよな」「でも、ボスがやるって言ってるしなぁ」とかぶつくさ言いながら、方法を探ることになりました。

当の山崎先生は「いや〜、10万個あったほうがおもしろいことが起きるかもしれないじゃないか」と、一切気にしていません。そんなことを言いながら、彼はしっかり予算を取ってくる。こうして、多くの人を巻き込んでいくわけです。

「それで早野くん、つくばで一度にドーンとやってくる10万個のデータをなんとかできるように、コンピュータを考えてくれる？」と言われて、僕は要するに実験施設の建設部隊となりました。

これをやるということは、「しばらく論文は書けませんよ」と言われているのと同じです。でも、当時は今みたいに“Publish or Perish”——論文を書かなければ滅びる、という科学業界の用語ですが、こういう考え方はそんなに広がっておらず、わりとのんびりとした環境でした。僕は、任期内に成果を出さなければならない立場ではなかったこともあり、「山崎先生がおもしろいって言っているんだから、やるか」と、新しいコンピュータを探し始めました。こうして、つくばと東京を車で往復する生活が始まります。

当時、高エネルギー物理学研究所は、ＴＲＩＳＴＡＮ（トリスタン）という電子と陽電子を衝突させる加速器を作るための予算要求をずっとしていました。そちらの方も、ちょうど同じ時期にいよいよ認められることになったので、この時期には研究所全体がかなり盛り上がっていました。

なぜかといえば、それまでは日本ではそんな実験は到底できないので、この手の研究をやりたければ外国に行かなければならなかったんです。だから、僕たちもアメリカに行き、カナダに行き、とやっていた。ようやくそれが、日本でもできる。「日本にも電子－陽電子衝突型の加速器が作られて、もしかしたら新しい素粒子が見つかるかもしれないような実験ができるんだね」という時代が来たのです。

ちょうどこの頃は、日本から海外へ渡った研究者たちに対して、「ポストもあるし、日本でもちゃんと研究ができるから、戻っておいで」と呼びかけて帰国を促す動きが始まった時期でもありました。海外にわざわざ出なくても、日本で実験できるようになる。ここはひとつ、海外の知見を持って帰ってきてくれという、呼び戻しが始まったのです。僕は〝一気に10万個〟のμ粒子で実験するための建設部隊としてコンピュータを作ることになったものの、当然、そうしたTRISTANの流れも知っています。〝もしかして、自分もあっちに参加していれば、新しいことができたかもなぁ〟と思わないといえば嘘になる。下準備は地味な作業の連続で、うまくいかないことも多いんです。

そこで、つくばから東京に戻るまでの国道6号線でハンドルを握りながらいつもよぎるのは、大学入試や、大学2年のタイミングでの学部選択でした。あそこで医学部を選んでいたら、こんなことにならなかったのになぁ……と。このプロジェクトは結果が出るまでに年単位の時間がかかる。自分には世界でも評判になった博士論文があるのに、その先はまだ何も見えない。周りは新しい施設の実現で盛り上がっていて、もしかしたらライバルは自分よりずっと先を行っているかもしれないのに、自分は下準備をやっているだけで、しばらく論文を書けないままだ。本当にいいのかと自問自答しました。こんなことで悩むくらいなら、医者になっておけば良かったんじゃないか――。

問いかけたからと言って、答えが出るわけでもない「人生の〝もしも〟」です。それまでにも、研究がうまくいかない時には医者への未練が頭をもたげていました。僕はこの後も、後述する「Σ《シグマ》ハイパー核」を発見し、自分の研究に自信がついて完全に吹っ切れるようになる30代後半ごろまで、断続的にこの思いに囚われることになります。

思い悩むことも多い時間でしたが、それでも後から思えばやっぱり「人生に無駄なことなんてない」のです。僕がこの時やるようになったのは、民間企業とのコラボレーションでした。実験用のコンピュータを三井造船と一緒に作っていくことになり、僕は自分で設計書や仕様書を書いて、ちょっとずつ作り上げていくようになります。そこには僕ひとりではなくいろいろな仲間がいて、ちょうどつくばにおもしろい人たちが集まって来るようになっていたんです。コンピュータ分野における、当時の日本でトップクラスのエンジニアや最先端を知る人たちが集結し、僕も彼らと議論しながら勉強していくことになりました。

後にアップルの日本法人でトップになった原田泳幸《えいこう》さんや、グーグルのアメリカ本社で副社長になった村上憲郎《のりお》さんも、つくばの施設によくやってきていました。まだインターネットという言葉ができる前でしたが、彼らは営業も兼ねて「コンピュータを使って、研究所がつながっていけばおもしろいことになりますよ」とよく話してくれていたんです。当時「ネットワーク」という言葉を使っていたかどうかは忘れてしまいましたが、どうもアメリカではそういう方向で進んでいるらしい、と。思い悩んだ仕事が巡り巡って、僕はここでも最先端の情報技術に触れていました。

「役に立つ学問」とはなにか?

悩んでいた当時、僕が考えていたのは〝一体、役に立つ科学とはなんだろうか?〟ということでした。基本的に基礎科学というのは、応用のことは考えません。何かの発見がなされてから社会の役に立つ「技術」になるまでに、相当な時間がかかります。研究をする最大のモチベーションは、「おもしろそう」「知りたい」です。一見、気楽な立場に思えるかもしれませんが、周りの同年代たちが活躍していく中、なんの役に立つのかはおろか、結果が出るのかどうかすら分からないもののために、少なくない予算や設備を使いながら何年もモチベーションを維持し続けるのは、そう簡単なことではありません。でも、医者になれば多くの人の生活に直結している。少なくとも、〝目の前にいるこの患者を助けた〞ということは目に見えて実感できます。

しかしその一方で、僕はコンピュータに触れていました。アメリカの無人運転電車のように、僕たちが研究を進める中で使っていることが転じて、改良されていく技術があることも知っていました。そう考えると、結局、学問が役に立つか立たないかというのは、「すぐに役に立つ」か、「巡り巡って役に立つ」かの違いでしかありません。もしかしたら、僕がやってきたことの中に役に立つもののヒントがあり、それを後世の誰かが発見して応用していくかもしれない。それは誰にも分からない未来なのですが、そもそも基礎研究をやっていなければ応用はない。これが科学のおもしろさです。

こういう時はくすぶっているよりも、原点に立ち返ってみるほうがいいんですね。当時、僕らは自分たちのことを「パラサイト」と呼んでいました。それはどういうことかというと、研究所にはもともと大きなプロジェクトのために作られた装置があります。僕たちは、小さなチームでそこに寄っていき、装置で生成された粒子などの余りを一部分けてもらって、大きなプロジェクトの邪魔にならないように独自の研究をするというスタイルで新しいものを探求するのです。

つくばの研究所の場合でいうと、隣にはＴＲＩＳＴＡＮプロジェクトで集まっているチームがいました。そこには当時、アメリカから呼び戻されたトップ科学者がずらりといて、若い研究者たちもたくさんいる。チーム全体がピラミッドのように組織化されていて、若者はその底辺に大勢いるという組織です。

今でもそうですが、例えば「ヒッグス粒子」などの新しい素粒子を発見しようという〝ビッグサイエンス〟は、ほとんどがこの形です。大人数を集めて、世紀の大発見のために大掛かりなチームと予算を使い、みんなで目的のものを見つけようとする。

ここに入ればひとりひとりが明確に細分化されたミッションを持ち、何を作っているのか、何を発見するのか、発見するためにはどういう装置を作って、それで何を測ればいいのかが分かっている中で仕事をします。仮説通りに大発見があったとき、もしかしたらトップの人がノーベル賞を取れるかもしれない。その一端を担ったという喜びがある、ということです。「何のために」を自ら考える必要はないという、研究のスタイルです。

これは別に、ビッグサイエンスを批判しているわけではありません。このようにして、世界中から非常に多くの研究者が集まって取り組むことが必要な科学の分野があるのです。

でも、一方で僕たちのようなやり方もあって、TRISTAN計画が本格的に動き出して盛り上がりを見せる横で、小ぢんまりとコンピュータを準備し、その先に何かまだ誰も見つけていないような新しいものがあるかもしれない、自分にしかできないことがあるかもしれないと思いながら実験をしていく。それは時に「早野くん、ちょっと。これがおもしろいと思うんだけど、どうかなぁ」と人から言われて始まることもあれば、僕の博士論文のように、あれっという偶然から「どうもこれは誰もやっていないことだ、早野のオリジナルだ」と言われる結果につながることもあります。

要するに、ビッグサイエンスか、あるいはよく分からないけど研究所の片隅をうろうろしながら、何かおもしろそうなことが起きないか探して、ひょいっと見つけてしまう生き方か。そのどちらが好きかということです。僕は、ダントツで後者がいいと思った。

僕は、ブースターシンクロトロンを使ったμ粒子実験のためのコンピュータ建設、それからデータを取るということについての、全責任を負っていました。僕のほかに、それを分かる人はゼロです。つまり、これは僕にしかできない仕事でした。コンピュータを使って、誰にお伺いをたてることなく実験用のプログラムを作れるのも僕だけで、かなり自由に裁量権をもって好きなことができた。もちろん、「早野くん、ちょっと」もやりつつですが、これが楽しかったんですね。

しかも、期せずして当時のコンピュータの最先端も知ることができました。建設部隊をやって研究からは少し離れたけれど、もしかしたらこれがプラスに働くかもしれない。僕はそう思い直していました。

僕が見つけた日本最初のハッカー

このように80年代前半の僕は、つくばにいて主に建設部隊をやりながら、時々山崎先生に呼ばれては彼のいうところの「おもしろい仮説を知った、これを検証しよう」という実験に関わり、しかし、うまくいかないという日々を送っていました。

僕がその頃検証することになった「もしかすると重たいニュートリノがあるかもしれない」という仮説（ニュートリノは素粒子の一種で、質量が非常に小さいと知られています）は、もしも実験で証明できたらそれまでの常識を覆すようなノーベル賞級のものでしたが、そう都合よくは人生できていないんですね。「おもしろい」に付き合った当時のニュートリノ実験は、一応論文になり、僕の中間的な出世作と言えなくもないのですが、結果自体は「見つかりませんでした」というものなので、あまり華々しくはないんです。

そうこうしているうちに、僕にもＴＲＩＳＴＡＮチームから声がかかり、「こっちでもコンピュータシステムを作りたいから、君ちょっとやってくれ」というオファーが届きました。ＴＲＩＳＴＡＮは１９８６年に完成するのですが、その数年前に僕はチームに加わっています。これは完全にイレギュラーな人事で、傍流でうろうろやっていたやつが、本流の一端に加わることになったわけです。その頃僕は結婚したばかりで、東京の自宅からつくばに通っていましたが、パラサイトに加えて本流の仕事もとなるとさすがに忙しく、つくばの単身赴任住宅に入って、研究所の職員として勤めることになりました。肩書きは、助手から助教授になりました。

そのときにボスになったＴＲＩＳＴＡＮ計画の建設責任者が、アメリカから呼び戻されて着任した尾崎敏《さとし》先生です。アメリカのブルックヘブン国立研究所でグループリーダーをやっていた日本人で、この建設が終わった後にはまたアメリカに戻って厚遇された、第一級の科学者でした。

呼び戻されたのはいいけれど、彼は日本の事務組織とかいろんなものとよく衝突を起こしていました。時として本気か嫌味か、アメリカなまりの日本語をしゃべったりして、なかなかに煙たがられていた。でも僕は彼とてもウマが合って、かわいがってもらいました。尾崎先生とはその後も一緒に仕事をすることになります。

僕のその時の仕事は、第一に根回し、第二にコンピュータです。尾崎先生はストレートな性格で、「自分が決めたんだからいいだろう」というタイプでしたが、日本では前例のないこともたくさんあるプロジェクトだったので、「その辺は丁寧に進めましょう」と、誰も言えないことを彼に言うのが僕の役目でした。円滑に物事を進めるのは、科学の世界でも大事です。僕はアメリカの流儀も知っているし、日本の流儀も知っているし、そこにいるいろんな先生のことも顔は知っているので、尾崎先生の言い分も聞きながら、ビッグサイエンスのお手伝いをするようになりました。

尾崎先生には「コンピュータは今後大事になる技術だ」という理解が相当にあったため、僕を国際的なコンピュータ関係の委員会の委員にしてくれて、その権限でアメリカの視察もさせてくれました。そこで見聞きした最新の状況をもとに、僕は原田さんや村上さんたちと「日本がガラパゴスにならないためには、ネットワーク技術が大事になるんじゃないか」「情報の入ったコンピュータがコンピュータセンターに1台だけあって、それをみんなで使うという時代は終わりを告げつつあるのではないか」なんて議論をするようになります。

TRISTAN加速器の実験は「共同利用研究」と呼ばれるもので、本来なら各大学にあるべきリソースの一部を吸い上げて、研究所に大きな装置と人員を配置し、それをみんなで使うというものでした。だから、それぞれの大学の研究室がその恩恵を受けるべきでしたが、いつもつくばにいることができない人たちはデータや状況を共有することができず、不利でした。そこで、まだインターネットが実用化される前の時代でしたが、「各大学から研究所にネットワークを使ってアクセスして、データや現状を共有できるような仕組みを自分たちで作ろう」ということになります。僕はその元締めになり、全国の大学へ行って、こういう形で回線をつなぐとか、これとこれをこういう形でつないでくださいと言って回る、エンジニアのようなことまでやりました。

当時としては珍しい、研究所の実験室から大きなコンピュータまで光ファイバーを張って、そこにデータを集約するということもやりました。そうすれば大きなコンピュータを介して、研究所と大学の間でデータやメールのやり取りができるようになる。これで遠くの大学も陸の孤島ではなくなり、情報が早く伝わるようになったんです（といっても、当時の通信網は今から比べるととても遅い、遅い、遅いのですが……）。郵送やファックスではなく、コンピュータ同士をダイレクトにつなげてデータのやり取りができるようになったことは画期的で、これに僕はすごい達成感を抱きました。

ちょうどその頃は、「日本のインターネットの父」と呼ばれる村井純さんが東工大と慶應大を結んでコンピュータのネットワークを始めた時期です。いよいよ日本にいながら海外にもつながって、研究状況がすぐシェアされる時代がやってくる——その夜明け前でした。

そんなことで、僕はしばらくは完全にコンピュータの人、ネットワークの人だったのですが、専門外でもおもしろい仕事をしていれば、おもしろい出来事に出くわすものです。たまたま、こちらのセキュリティに穴があり、つくばの研究所のコンピュータがどこかからハッキングされるという事件が起きました。

これはおそらく、日本で明確に記録されて、侵入経路が分かっている、初めてのハッキングだったと思います。僕らはハッキングされたことにすぐに気づき、どこからきているのか経路を辿りました。そうすると、どうも西ドイツからやってきたということが分かったんです。その後、この一件は知られるようになって、NHK放送研修センター主催の「国際スパイハッカーを摘発して」というシンポジウムが開かれたり、NHKのディレクターがハッキングした相手のところまで取材に行って、番組を作ったりしました。

こんなふうに、しばらくはコンピュータ部隊として楽しい生活をしていた僕も、ぼちぼちTRISTANに目処がつくと、本業のキャリアをどうするか考えなければならなくなってきます。尾崎先生はまたアメリカへ帰ることになりました。では、このままの流れでビッグサイエンスの一員になるのはどうか。希望すればこのプロジェクトに残ることはできるけれど、でも専門分野で求められる基礎的な教養からして、僕がそれまで積み上げてきたこととは全く違っていて、ちょっとお役に立てそうもない。コンピュータ解析やデータ分析の専門家として、ずっと籍を置いて研究を手伝うという道もあるにはあるけれど、そうなると物理学の専門キャリアとは離れてしまう。僕にはそれは想像がつかないし、それで一生を終えるのはなぁと考えていました。

先行き不透明になりかけていたときに、僕に一本の電話がかかってきます。

東京大学歌舞伎ゼミ

東大で助教授をやっていた先輩からでした。永宮正治《しょうじ》先生という方で、趣旨は〝今度、東大の物理教室で助教授の公募をやることになったから、君も応募しないか〟というものです。もちろん、応募しても採用される保証はなく、競争相手もたくさんいます。僕は気になって、一応聞いてみました。

「公募分野はなんでしょうか？」

「それが、原子核実験の分野なんだ」

「え？　僕、原子核実験なんてやったことないですよ。だって、加速器で実験はしてきたけど、僕がやっていたのは物性物理の実験ですし、つくばの高エネ研でやっていたのも素粒子の実験です。みんなが思うような原子核の実験、例えばセシウムの原子核がどうしたとか、そういうのって、僕、実験したことないなぁ……」

ごにゃごにゃ言っていたんですが、先輩曰く、とにかく応募しろ、話はそれからだと言うんです。

僕は一体、自分に何を期待されているのか分からなかったのですが、その後、どうも僕が高エネ研で作った装置を使って、山崎先生が原子核分野の実験をやりたがっているということが分かりました。専門用語で言えば「ハイパー核」の研究で、今度はそっちがおもしろいぞと盛り上がっていたようなのです。「あれを作ったのは早野くんだから、応募して一緒に実験をやらないか」ということで僕に声がかかったようでした。もしかするとそれは方便で、次の空きはいつになるか分からないから、とにかく応募をさせるという配慮だったのかもしれません。

応募書類を出し、最終選考では学科のセミナーに呼ばれて、教授陣と学生の前で「おもしろい物理の話をしなさい」と言われました。僕はその頃自分が一番よく知っていて、おもしろいと思っていた「重たいニュートリノ」研究の話をして、１９８６年から東大理学部の助教授となることが決まりました。

これも珍しいパターンです。僕は別の研究所からいきなり助教授として着任し、すぐに講義を持たされることになりました。しかも原子核物理学の授業をやれということだから、〝自分の今までの専門と違うような気もするなぁ〟と思いながら、学生に教えるために勉強を始めます。つくばでも名前こそ「助教授」でしたが、大学ではないので学生の世話も授業の準備も必要なく、コンピュータ関係の人たちと話す時間も楽しかったのに、これからはそれも格段に減って、しかも学生の人生を背負うことにまでなってしまった。僕にはこれが、ちょっとしたチャレンジでした。

さらに、今度はハイパー核の新しいプロジェクトを考えることも期待されている。ハイパー核が見つかったのは１９５０年代で、この頃には一通りいろんなことが知られている段階でした。その中でまだ残されている領域や、自分がやるのに適したことはなにかを探すという、楽しくも苦しい挑戦が始まったんです。

その時、僕が駒場で始めたのが、おそらく東大物理史上最初で最後であろう、歌舞伎のゼミです。「理系学生のための歌舞伎入門」という、半期のゼミを作りました。僕の家は母が大の歌舞伎好きで、劇評の載った雑誌がいつも置いてありました。この頃には、自分でも観るようになって15年くらい経っていて、僕の一番の趣味といって良いものだったんです。歌舞伎とはどういうもので、そのおもしろさとはどこにあるのか。それを解説しながら、よし、みんなで月に一度、実際に歌舞伎を観に行こう——というゼミで、計画書を出した時には理系の教授がどうしてそんなことをやるんだと怒られもしたし、教務課の事務からは「専門外のゼミは認められません」なんて注意もされました。

でも幸いなことに、当時の理学部長で後に東大総長、文部大臣も務めた有馬朗人《あきと》先生が、率先してかばってくれたんです。俳人でもある有馬先生は「早野くんは自由でいいなぁ。僕も俳句でゼミをやりたいよ。彼にぜひ、このゼミをやらせなさい」と言ってくれたと、後に聞きました。

こういうゼミをやろうと思ったのは、山崎先生の姿を見ていたこともありました。彼はワーグナーの熱狂的な愛好者で、海外に行くときには空き時間があろうものならすぐにオペラへ行けるよう、必ず正装を荷物に入れていたし、音楽についての原稿もよく依頼されて書いていました。その様子をいつも見てきたから、〝理系は理系のことだけやっていればいい〟なんて発想ははじめからありませんでした。

結局、東大歌舞伎ゼミは蓋を開けてみると大人気で、文系からの応募者も多く、すぐに締め切らざるを得ませんでした。「どうして理系が歌舞伎？」ではなく、「おもしろそう」と反応してくれた学生が、たくさんいたということです。

科学者のチーム論——いきなりプロジェクトリーダーに

そんなふうにして始まった東大での生活でしたが、肝心の研究のほうは着任早々、衝撃だらけでした。まず、理学部の主任教授をしていた山崎先生が東京・田無にあった原子核研究所の所長になることが決まり、行ってしまいます。これはまあ、直属の上司が異動になったくらいの話なのでいいとして、最大の衝撃はすぐにやってきました。

当時僕が使っていた理学部の居室には、隣の部屋へ通じるドアがあったんですが、ある日、隣室の永宮先生が隣からノックしてきました。例の、助教授に応募しないかと電話をくれた先輩です。

「ちょっと話あんねんけど」と、彼は生粋の関西弁で話しかけてきました。なんだろうと思って、「どうしました？」と聞くと、こんなことを言うんです。

「俺、コロンビア大学から来いって言われてん。教授職で行くから、こっちのことはあとは君に任せる。俺、日米共同研究プロジェクトの日本側の代表やっててんねんけど、それ、君に頼むわ」

僕にノーという選択肢は一切ないという感じで、強制的に引き継ぎをされてしまい、彼はさくさくと話と荷物をまとめ、アメリカに旅立ってしまいました。僕はもう、ぽかーんとするしかありませんでした。

なにせ、彼がやっている研究分野は、僕がまったくやったことのない分野です。その日米共同研究は、「高エネルギー重イオン実験」というものでした。

「えーと、すいません。その研究は何がおもしろいんでしょうか？」というところから尋ねてみたものの、永宮先生は「おもろい、おもろい。めっちゃおもろいから、早野くん、頼んだで～」と言うばかり。彼がコロンビアへ行ってしまった後には、その実験のために彼がかき集めた日本チームと僕だけが残されました。僕はいきなり、自分が知りもしない研究プロジェクトのトップになった、というか、させられてしまったんです。

いくらアマチュアの心が大切だといっても、素人ではさすがに話にならないので、一から勉強しました。すると、なるほど確かに研究としてはおもしろそうだということが分かってきました。

この実験は、極めて簡単にいうと、高いエネルギーで原子核と原子核、つまりたくさんの陽子と中性子をぶつけてみましょうという話で、それによって「最初期の宇宙を実験室で作る」というものです。

永宮先生たちのうたい文句はこうです。この宇宙はビッグバンで始まった。それで、最初の頃はすべての物質やエネルギーが非常に高温で高密度の状態であった。それが広がって薄まって、今の宇宙になるわけですが、実は宇宙の一番初めの瞬間には、われわれが知っているような物質はなかった。非常に特徴的なこととしては、原子核を構成する陽子と中性子は存在しなかった、理論的にはそうに違いないと考えられています。

当時、後にノーベル賞を受賞するスティーヴン・ワインバーグが書いた一般向けの科学書『宇宙創成はじめの三分間』という名著があって、そこにはビッグバンによって宇宙ができてから最初の3分の間に何が起きて、陽子ができるまでに何があったかが書かれていたので、そのこと自体はすでに広く知られていました。陽子は、クォークという素粒子と、クォーク同士を結びつけるグルーオンという素粒子からできているんですが、最初はそれらがくっつくことなく、それぞれ自由に飛び回っていたらしいんです。

ここからが永宮先生たちの真骨頂で、曰く陽子と陽子をぶつけてもクォークとグルーオンにばらすことはできないけれども、大きな原子核を持ってきて、それらを高いエネルギーで互いにグシャッとぶつけると、十分に高い温度、高い密度が出来上がる。そうすると、非常に小さな体積ではあるけれども、宇宙の最初の状態を再現できるに違いないと言うんです。誕生したばかりの宇宙――それはいつぐらいかというと、宇宙が始まって10のマイナス6乗、つまり100万分の1秒後くらいの段階ですが、そこで起きたことを調べるために、同じ状態を人工的に作ってみて、何が起きるかを観察するということです。

これはなんだかおもしろそうだ、となるでしょう。さらにその状態から、陽子や中性子ができる以前の状態――これはクォーク・グルーオン・プラズマと名前が付いていて、クォークやグルーオンが非常に短時間だけれども、比較的自由に飛び交っているような、そういうガスのような状態ができるに違いないから、それを地上で実現したいというわけです。それができそうな場所は世界に1ヶ所しかない。アメリカのブルックヘブン国立研究所だ。ニューヨークのロングアイランドにあって、素粒子の実験をする加速器としてほぼ御用済みになった装置がある。しかし今、そこに金、銀、銅などの重たい原子核を入れて加速できるようにしようという改造が進んでいて、近くそれが完成する。それを使えば、地上に誕生直後の宇宙を再現できる、僕たちの夢がかなうのである――こんなことを彼らは考えていたんです。

ちなみに、永宮先生がなぜコロンビア大学に行くかというと、「俺はロングアイランド側でその実験のリーダーをやりたいのである」とのことでした。コロンビア大学から研究所までは車で通える距離にあるので、コロンビア大学の教授になると言って、彼は行ってしまいました。

今でも僕がこのような複雑な実験の話を、こんなふうにできるだけ専門用語を使わずに説明できるのは、この時永宮先生から無理やりリーダーにさせられたからです。日本側の代表を永宮先生から引き継いだのでよろしくとみんなに挨拶して、予算を統括している委員会に「今年はこういう計画で、これこれのお金をいただければ、最初期の宇宙を地上に再現して、ついては基礎科学の発展に……」というプレゼンをやったのです。

いよいよ実験が始まるというときには、チームを率いてアメリカに行きました。プロジェクトには若い人も、年上の方々もいましたが、１９８７年から10年弱、みなさんとお付き合いをしながら、僕はリーダーをやりました。

なんだかんだで、マネジメントの最初のポイントは「プレゼンテーションをして、お金を確保する」に尽きます。それができなければ、どんなに夢を語っても、実験は何も実現できないからです。

そして、プレゼンは伝わらないと意味がない。「この研究には意義があるんだ」と伝わってお金の確保ができない限り、せっかく集まってくれたメンバーが困ってしまいます。今から振り返れば、この時は日米共同研究としてある程度の枠組みがすでに決まっていたのでまだ楽でしたが、30代半ばでいきなりプロジェクトを率いろと言われたときには、やっぱり重圧がありました。

でも、とにかく場数ですね。それに、丸投げしたように見える永宮先生も、実は結構、フォローをしてくれていました。近況報告の手紙をくれて「こっちはアメリカ人のチームを率いて、実験の準備を始めた。早野くんも日本でちゃんとチームを作って、人を送りなさいよ」と言ってくれたりして、なにかと気にかけてくれました。

人から理不尽に押し付けられたと思っても、頼まれるということは、自分にはできると思われているということです。とりあえず、僕はなんでも「楽しそうに」やりました。このプロジェクトが布石になり、僕は次のステップに向かうことになります。

第4章　枠の外からエサを狙う生き方——ジュネーヴ

研究にもマネジメントが必要だ（あと炊事係も）

僕が大学の教員になってから真面目にやっていたことのひとつに、〝若手にチャンスを与える〟ということがあります。これは研究者を「育成する」ことはもちろんですが、厳しいことを言えば「振り分ける」ことも意味します。振り分けるというのは、学生が「プロの科学者はちょっと難しそうだけど、別の道なら頑張れそうだな」と思ったときに、進路を変えることも肯定するということです。

それはドロップアウトでもなんでもない。別に物理を学んだからといって、研究者にならなければいけないわけではないし、それ以外の社会でも食っていけるだけのスキルは研究を通じて身につけることができます。現に僕の研究室だって、民間企業でエンジニアになった学生もいれば、官僚になった学生もいます。

僕らの場合は、例えば加速器を使った実験をよくやるわけですが、これは勝手にできるわけではなく、まずはプロポーザル（提案書）を作るところから始まります。「私たちにこの施設を何日間使わせていただけたら、こういうすばらしい成果を出すはずなので、ここでこういう実験をさせてください」と書いて、それを通さないといけないのです。審査委員会では、プレゼンも必要です。それで多くの場合は、通ってから今度は「こんな提案が通りました、ついてはいくらかかるので、私にお金をください」といって、研究費を取りにいきます。すでに研究費があるというラッキーなこともあるけれど、多くの場合は審査が通った後に、研究費を取る。そして、両方が揃わないと実験できないわけです。

プロポーザルには、仮説を丁寧に説明し、分かってもらえるように書く必要があります。そして書いた以上は、結果も必要です。科学の世界では、実験が仮説通りにならないことは多々あります。もちろん仮説通りになったほうが嬉しいですが、それ以上に大事なのは「なぜそうなったか」が説明できることです。

これは社会でも同じです。ちゃんと提案理由をつけた書類を作り、プロジェクトを動かし、結果を説明する。その時に、うまくいったにしろ、いかなかったにしろ、合理的な理由がそこにあるのかどうかが大事なことでしょう。僕のやり方を見ていれば、それを学んでもらえると思います。

そして、実験は自分ももちろん楽しみますが、学生も楽しめるもの、そして彼らが最終的にそれで博士論文が書けるものを用意していくということを大切にしていました。

僕が意識的に学生にチャンスを作るようにしていたのは、僕自身が学生として育てられた時に、かなりチャンスを与えてもらったという自覚があるからです。バンクーバーやロスアラモスの研究施設に放り込まれて、しばらく放し飼いにされるなかで、当時のトップ科学者たちと交流するチャンスをいきなり得ることができた。「綿密に教えはしないけど、責任はこっちで持つから適当にやれ」という、ものすごく古典的な教育のスタイルでした。今ならそんなことをやると「なにも教えてくれない」って怒られるかもしれませんね。

でもやっぱり、僕は自分がそうやって育ったし、こういう試練を通過しなければ本当に生き残れる人にはなれないと依然として思っています。だからこそ、チャンスが大事なんです。チャンスは与える、リソースもこちらで用意するし、お金も心配しなくていい。でも、とにかくチャンスを与えられたあとは、自分たちで各々努力せよ——こういうスタイルです。

そこから先に成果を出せるかどうかは、個人の力と、最後は運だって大きな要素です。運ばかりは僕も与えることができません。不運なことに、「そこを掘っても掘っても宝物は出ない」という研究をしている可能性もありますが、それもやってみなければ誰にも分からない。逆にいえば、僕の教室から飛び立って行った人は、まぎれもなく本人の力と運が味方した成果です。

例えば、日米共同研究でブルックヘブン研究所へ連れて行った最初の学生の櫻井博儀くんには、山崎先生が僕にしたように「僕は日本に帰るけど、君はこのままここに残って研究を続けて」と言って、ビザを取らせ、滞在費を送りました。しばらくブルックヘブンにいた彼は、今では東大物理学科の教授になっています。それから、別の研究でバンクーバーへ連れて行った当時修士課程の中村哲《さとし》くんは、僕が「実験で使うヘリウムの『バケツ』（液体ヘリウム標的装置）を東京から空輸で送るから、よろしく」と伝えて帰った後、嬉々として研究を続け、東北大学の教授になってからはアメリカの国立研究所へ自分の学生を連れて行き、同じことをしたみたいです。今でも続く、〝置き去り〟の伝統です。

僕たちの場合は、ほかの研究分野ともうひとつ違うことがあって、それは「どこで、誰が、何を目指して、どんな実験をしているかを世界中のライバルはみんな知っている」ということです。プロポーザルは公表されているし、実験計画がおもしろいと注目されれば、国際会議で「こういう実験をすると、何年後にはこんな結果が出るはずです」と、まだ成果もない段階からしゃべることが求められる。

どんな装置を使って、どんな手順で実験をして、どんな結果を出そうとしているのか、すべて手の内が他の人にも分かっている状態で実験を始めるのです。その後、成果が聞こえなければ「あそこは失敗したな」だし、論文が出れば「おっ、あの時の話が出てきたか。うーん、でも思ったほどの成果じゃないね」とか、一発で分かってしまう。みんな、自分のライバルがどこで何をしているかを知っている世界です。その中で論文を出さなければいけないし、出せる機会を逃してはいけないのです。

とはいえ、もちろんうまくいくことばかりではありません。いざ研究費をもらっても、実験のための装置がないこともある。その場合は自分たちで作らないといけないので、それだけであっという間に2年や3年が経ってしまいます。「さあ、やるぞ」というときには日本でそれを組み立てて、海外の研究施設まで時間をかけて輸出することもあります。

そこまでやった後にも、加速器は多くの場合、「この加速器を使って実験して良い」というお墨付きを持った複数のグループが順番待ちして使うわけです。そうすると「お金もある、コミッティのお墨付きもある、装置も届いた」という段階でエントリーしても、その年のうちには順番が来ないというケースもあります。

この順番は厳密に決まっていることもあれば、案外泥臭い交渉で決まることもあって、僕たちのために立ち回ってくれる現地の有力な研究者がいるかいないかで決まることだって現実にはあります。それは今も昔も変わりません。

だから僕は、交渉ごとも厭わずにやってきました。なぜなら、研究計画が動かずに困るのは学生だからです。

「僕はこの研究でうまくいったら博士論文を書きます」と決意して、研究室へ入る。学生が来るときにはこちらも「君が博士論文を書くころには、きっとこうなるはず」と甘い言葉を囁いています。

でも、場合によっては「あ、今年も実験が始められない」ということが起こる。大人なら「まぁしょうがないから、今年1年は他のことも並行してやりながら待つか」でいいんですが、学生はその1年が死活問題になります。「これおもしろいですね、これがやりたいです」と言ってくれている学生を待たせた末に「今年中には実験ができそうもないから、論文は書けないなぁ。申し訳ない」となって、実際に僕が研究室を持った最初の頃には、失意の中で去っていく学生も出ました。

1年が待てないという事情も痛いほど分かるので、その頃の学生には申し訳ないことをしたと思っています。だから、それからは複数のプロジェクトを同時に手がけるというやり方にシフトして、交渉ごとも自分でやることにしました。大なり小なり複数のプロジェクトをやると「手を広げすぎ」と批判もされるし、予算を取ることもとても大変になるんですが、一方で学生の人生を考えると、全員にひとつのプロジェクトをやらせて、それが失敗したときに全員でコケるよりは、やっぱりリスクを分散して、カナダのプロジェクトがうまくいかなかったらアメリカに合流させるとか、そういう采配をしたほうがいい。そうしないと、「ちょっと待って、今年はごめん」の連続になってしまいます。人にチャンスを与えるのもマネジメントなんです。

こうしたマネジメントの重要さは、日米共同研究のトップをやりながら学んだことでもあります。ブルックヘブン研究所の改造中の加速器ＲＨＩＣ（リック）は、僕が日本側のトップを任されたときにはまだ建設段階で、実は、そこで実験を実現するために他にどんな実験装置を作るのか、そのためにはいくらの予算が必要かが決まっていませんでした。建設チームは、つくばのＴＲＩＳＴＡＮ計画の後にアメリカへ戻ったあの尾崎敏先生がリーダーになっていて、彼は日本へ帰国した時に僕を呼び出し、おもむろに「そうか、君が永宮くんのあと、日本側の責任者になったのか。しっかりやってくれ」と言ってきます。僕がアメリカへ行ったときにも、一緒に食事をすると「まあ、しっかりやってくれ」と言って、ワインなどついでくる……要するに、アメリカ側の予算だけでは足りないから、日本でちゃんとしたプロポーザルを書き、日本側の予算を獲得してくれ、うまくやってくれよ、ということでした。

確かに、実際に中へ入ってみると、「加速器の設計はできていて、建設はすでに進んでいるものの、そこでどういう人たちが、どういうチームを組んで、いつから装置を使い、何を目指して実験するのかは、正式にはなにも決まっていません」という状態だということが分かりました。

そこからは、誰がどんな研究をやるかの競争です。みんなで議論しながら人々の離合集散が始まり、昨日は向こうのプロジェクトとくっついていたやつが、今度は寝返ってこっちのチームにくっつくとかいうことが起こりつつ、最後は予算の分配も争点になる。誰の財布で、どこまでできるかという話です。この手の話は、国際的な商売の世界ではみんなやっていることだけれど、実は科学者の世界にもそれに近いことはあって、研究をやる過程では必ず交渉をするし、「俺たちのアイデアのほうがこんなにすごいんだぜ」というパフォーマンスもやるんです。

そこまでやらないと、日本チームにうまくチャンスが回ってこない。アメリカに集まっている各国の研究者たちも、自分の国から国家予算が出ているので、必死になって交渉します。そして最終的には、加速器を使って研究したい人たちが4グループに収斂しました。ひとつはもちろん日米共同研究ですが、これについては実は2種類の提案が出ていた。アメリカ側の永宮先生のグループが作ったプロポーザルでは予算も内容も難しいんじゃないかと思っていた僕は、別のプロポーザルも出していたんです。ほかには、アメリカ中心のグループからふたつぐらい提案書が出てきた。それで最後に大きな会議が開かれて、アメリカの予算当局に近い人たちが、4つもできないと言うんですね。そこで〝ショットガン・マリッジ〟といって、「おまえとおまえは考えが近そうだから結婚しろ」、つまり「おまえとおまえは一緒に研究をやれ」という感じで、似たプロジェクトをくっつける提案をしてくる。日米共同研究は、日本チームと永宮チームが一緒にやるという話で無事にまとまりました。

僕はビッグサイエンスとは別の生き方を選んだ科学者ですが、それでもこのプロジェクトは膨れ上がってしまい、なんだかんだで300人くらいのチームになりました。規模が大きくなって良かった面もあります。実験自体の計画は立てやすくなり、予算もあったので学生を連れていけたことです。僕は「PHENIX（フェニックス）」という名前の付いたこのチームの、民間で例えれば取締役会のような「エグゼクティブ・コミッティ」会議に参加するようになりました。

月に一度、火曜日に本郷でゼミをやって、ゼミが終わるとそのまま京成上野駅に走り、スカイライナーで成田空港に向かい、夕方から夜にかけて出発するニューヨーク行きの直行便に乗って向こうに着くと、日本より14時間遅い現地はまだ同じ日の午後です。眠い目をこすって空港でレンタカーを借りて、研究所に行って、そこの宿にチェックインしてベッドに倒れこんで移動日は終わり。翌日から会議をやって、週末に日本に戻る便に乗って、週明けからまた授業をする……こんな生活を、僕は何年も続けることになります。

会議では、まず建設現場の図面を見て、日本とアメリカのさまざまな大学と研究所で「このパーツを誰が作って、このパーツを誰が作って、ここに寄せ集めてくるとして、実際にこれで組み上がるかどうかは要確認」……というレベルからすり合わせます。一方で、お金を記録しているシートとにらめっこしながら、予算がちゃんと管理できているか、予定の日付までにちゃんと入金されるか、それも確認します。面倒だなぁとは思いますが、お金がきちんと管理できないプロジェクトは失格認定されてしまうので、予算管理は欠かせません。大きなプロジェクトの裏側はとても泥臭いのですが、そこから逃げたら誰かが泥を被ることになる。僕は若い時から交渉ごとを任されていたので、そこまで苦になるというほどのことはなく、マネジメントをこなしていきました。

ちなみに、このプロジェクトはどういう結果を生んだか。研究を始める前は、最初期の宇宙には「ガス」みたいなものが充満していると考えられていました。それはクォークやグルーオンが自由に飛び交っているようなガス状の状態だと考えられていたのですが、実際にいろいろな実験をしてみると、その状態は実はもっと「液体」に近いものだったということが分かってきたんです。これはひとつの画期的な論文によって明らかになったというよりは、80年代後半から、僕がプロジェクトを後任に引き継いだ後まで含めた約30年の間に、たくさんの論文によって徐々にその全体像を間違いなく摑めるようになってきた成果です。最初に思っていたものと違うものが見つかったということは、学問にとってみれば大きな成熟、進歩と言えます。

ここ10年で見ても、２０１１年と２０１５年には一連のプロジェクトに関わった人物に対して、仁科記念賞（ノーベル賞学者も多数受賞していることで知られる日本の物理学研究の最高賞）が授けられています。受賞者のひとりは、僕の最初の大学院学生である櫻井博儀くんです。いろいろな国の学者が集まることで、基礎科学は発展するし、良い影響を与え合うのです。

僕たちの実験の特徴は、ここまでからも分かると思いますが、第一に「思い立ってすぐにはできないこと」。第二に「始まってしまったら24時間体制で、夜中もシフトを組んでデータを取り、グラフにして解析する作業を繰り返すこと」です。僕は自分もシフトに入って、現場作業をやるのも好きでした。

これは90年代の話ですが、ドイツ・フランクフルト空港の近くにある研究所で実験をしていたことがありました。ドイツ側と日本の学生を含めた十数人のチームで1ヶ月間くらいおこなう実験で、すごく難しい実験というわけでもなかったので、僕はシフトの面倒をみながらみんなの夕飯を作る係をやりました。

ちょうどホワイトアスパラのシーズンだったので、それを近隣の農家から買ってきて、ワインとビールも買い出しにいく。アスパラは丸ごと茹でて、オランデーズソースをかけ、肉を焼いたものを添える。日本や中国の調味料も街まで行けば手に入るので、大鍋いっぱいの酢豚を作った日もありました。夜間のシフトに入っているメンバーは飲めないけれど、昼のシフトが終わった人はビールを飲んで、ワインも開けて、和気藹々《あいあい》とやっていました。

これは僕たち、というか僕の方針ですが、やっぱり研究は楽しいほうがいいんです。僕たちにとってはこれが仕事ですから、1日の仕事が終わればちょっと息抜きして、向こうの若者たちといろいろ議論でもすれば、やっぱりおもしろい。ドイツも一流の科学者を多く輩出している国だし、日本の学生にとっても外国に連れて行ったほうが刺激になります。実はこうして一緒に食事をする中で交わした議論のほうが、研究の良いきっかけになることも多々あるんです。

「自分は恵まれた時代に研究できて良かった」というだけでなく、次の世代を担う学生にどれだけの経験を提供できるかも、科学者にとっては大事なことだと僕は思います。

その名は「ASACUSA（アサクサ）」——CERN研究所

僕は1997年から、スイスのジュネーヴにあるCERN（セルン：欧州原子核研究機構）という世界最大の素粒子物理学の実験施設に招聘されることになりました。「はじめに」でも触れたこの施設は、インターネットを支える「WWW（ワールドワイドウェブ）」の誕生の地としても有名なところです。

もともと、CERNにつながるプロジェクトは、日米共同研究が忙しくなる前の80年代からやっていました。僕が東大の助教授として着任した頃に山崎先生が「つくばでやるぞ」と盛り上がっていた、例の「ハイパー核」の実験です。その後僕たちはCERNで研究していたドイツの研究者をつくばに呼んで実験をつづけた結果、「Σハイパー核」というのを見つけます。これは博士論文以来、僕が科学者として一本立ちしておこなった研究でふたたび世界的に認められるものになったんですが、そのΣハイパー核を見つける過程で、この場合は真空でしか出てくるはずのないμ粒子が見えたんです。それを調べるために、別の実験をすることになりました。またしてもビッグサイエンスとは真逆な、「なんだか分からない変なものを見つけてしまったので、これを調べさせてください」というサイエンスですね。

ちょっと専門的に説明すると、Σハイパー核を見つける実験というのは、ヘリウムにK中間子というものを入れて、π中間子が出てくる反応をおこすと、そこにΣハイパー核があらわれる、というものでした。その時に、π中間子だけでなく、μ粒子が出てきた。K中間子は、真空ならゆっくりμ粒子とニュートリノに分かれて壊れるんですが、空気中ならヘリウムの原子核とすぐくっつくので、壊れないはずなんです。μ粒子が出てくるということは、それがなぜかくっついていないということ。じゃあ、このことは、K中間子以外の、原子核とくっつきやすいものでも起こるかどうか。そこで、K中間子の代わりに、π中間子や「反陽子」というものをヘリウムに入れる実験をすることにしたというわけです。

それで、前述のバンクーバーに置き去りにした中村くんにヘリウムの「バケツ」を送ったり、それをまたつくばに戻してもらったりしながら実験するようになりました。周りからは「そんなもの調べて、何になるの？」と言われ続けていたんですが、山崎先生は例のごとく「これはおもしろいからもっとやるべきだ」と言って、反陽子がたくさんあるCERNへ行こうというのです。それで、僕はブルックヘブンと並行して、90年あたりから夏に2ヶ月はスイスで「反陽子が入ったヘリウム原子をレーザー分光で測る実験」というのをすることになります。その実験やほかの人たちの研究がたまたま同時に発展した結果、CERNで反陽子の研究を正式なプロジェクトとしてやりましょうということになったのが97年でした。

ここで何をするかというと、反陽子などの「反物質」というものを研究するために、現存する装置を今度は「減速器」に改造して「反物質製造工場」にし、国際チームを作る、という話になったんです。その名も「ASACUSA（アサクサ：低速反陽子を用いた原子分光と原子衝突）」だ、と。

日本語の「浅草」を意識してつけた名前で、後にプロジェクトのホームページは雷門をアイコンにしたんですが、ともかく、そのASACUSAの責任者（スポークスパーソン）をやってくれというオファーが来ました。日米共同研究の仕事が国際的にもある程度の評価をされるようになっていたし、何より僕自身が当時、CERNで反陽子を使った実験を続ける中で「反物質っておもしろそうな分野だ」と思い始めていたタイミングだったので、オファーはとても嬉しかった。いよいよブルックヘブンとの両立が難しくなった僕は、日米共同研究を後任に引き継いで、スイスに移ることにします。

では、そこで何を研究したか。ごくごく分かりやすく言えば、ＣＥＲＮの減速器を使って「反物質」というものを作り、その質量を計測するという実験です。

そもそも「反物質」とは何なのか——まず、世の中には物質がありますよね。人間も物質だし、地球も物質でできている。つまり、いま僕たちが生きている世界には物質しか存在しないのですが、なんと宇宙の始まりには、物質と電荷の正負が逆なだけであとはそっくりな「反物質」というものが存在していました。素粒子研究では、最初期の宇宙にあった物質は、必ずそれと対になる反物質と一緒に生まれてきたと考えられています。物質と反物質が出合うと「対消滅《ついしょうめつ》」という現象が起きて、両方消えてしまうのですが、その際にとんでもないエネルギーが生まれます。この現象は、ＳＦが好きな人ならお馴染みの話で、映画や小説では「夢のエネルギー」として使われることも多いんです。

反物質が世間にもっとも注目されたのは、ダン・ブラウンの小説でのちに映画にもなった『天使と悪魔』に反物質が登場した時です。大ヒット映画『ダ・ヴィンチ・コード』の続編として世間的にもものすごい注目を集めたこの作品に登場したことで、ＣＥＲＮの名前は一躍有名になりました。映画の監督はとても熱心で、ＣＥＲＮにまでやってきて取材していったのですが、設定はなかなかぶっ飛んでいます。

この小説には、とある科学者が反物質を0・25グラムも（！）作ったという話が出てきますが、専門家から見れば、さすがにこれは荒唐無稽です。これだけの反物質を作るのには、CERNの加速器を使い続けても数十億年以上という途方もない時間がかかるし、仮に作れたとしてもこれが物質と出合ったらその瞬間、広島に落とされた原爆にも匹敵するエネルギーを放出して、跡形もなく消えてしまう。「こんな量が作れるわけないし、誰にも気付かれずに持ち出せるわけないじゃん」と、プロなら笑い転げる話でしたが、小説の世界は自由で楽しいですね。

それでも、反物質という言葉の得体の知れなさや、CERNという怪しげな組織の名前が響いたのか、小説を真に受けて「本当に怪しい研究をやっているんじゃないか。いや、ハヤノというやつがいて、実際に反物質を作っているらしい。これは大変だ」と、東大に電話やメールが殺到してしまいます。そこでスポークスパーソンの役割として、僕は大学で記者会見を開き、「これを機会に、みなさん反物質を知ってくださいね」というプレゼンテーションをする羽目になりました。

その時にも話したのですが、反物質は謎に満ちていて、とてもおもしろいものです。宇宙ができたときには同数あったはずだとされる物質と反物質ですが、今の宇宙には僕たちも含めて物質だけが残っています。これは考えてみるとおかしな話で、物質と反物質がペアになっていて同数ならば、ものすごいエネルギーを発しながら宇宙そのものが消滅しているはずです。それなのに、反物質だけが消え、物質は残った。だから太陽もできて、地球もできて、人間も存在することができているわけです。宇宙誕生からわずかな時間で、物質の数が反物質の数よりも多くならなければ、今の私たちは存在していません。なぜ、反物質は消えてしまったのか――。

それを解き明かすカギが、小林誠先生と益川敏英先生が理論的に裏付けた「CP対称性の破れ」という現象です。ごく簡単に説明すると、物質と反物質はすべてが対称なわけではなく、対称性が破れるときがある、というのです。小林先生と益川先生は、当時3種類しか発見されていなかったクォークが6種類あれば、「CP対称性の破れ」が理論的に説明できると世界に発表しました。後にこの小林・益川理論の通りにクォークが発見されていき、おふたりがノーベル賞を受賞したのは前述の通りです。

ですが、その理論をもってしても、まだ謎は残っています。素粒子物理学には、「CP対称性」に登場するC（荷電共役変換＝粒子と反粒子を入れ替える）、P（空間反転変換＝三次元空間を反転する）に加えて、T（時間反転変換＝時間を逆転させる）をあわせた「CPT対称性」と呼ばれる定理があります。簡単にいえば、CとPとTは、それぞれ個別に反転させると物質と反物質の対称性が破れると言われています。CとPを一緒に反転させせても、先ほど説明したように対称性は破れます。でも、3つとも反転させたときには、対称性は保たれるというのがこの定理なのです。全部反対に入れ替えた世界は、もとの世界と区別することができないと言われています。物質も、空間も、時間も鏡写しのように反対の世界——なんだか不思議なお話のように聞こえるかもしれませんね。それにしても、本当にこちらには「破れ」が起きる可能性がないのでしょうか？

僕たちのプロジェクトは、減速器を使って水素の反物質である「反水素」（陽子の反粒子である「反陽子」と電子の反粒子である「陽電子」が結びついたもの）を作り出し、その質量が水素と同じになるかどうかを厳密に測ることで、「CPT対称性」が保たれているかどうかを実験で検証するのが目的ということになります。それが、初期の宇宙で物質と反物質の対称性がどのようにして破れたのかという謎に迫る一歩となるのです。

科学は間違えるが、いずれ「間違っていた」と必ず分かる

そこで、僕はＣＥＲＮに本格的に飛び込んでいって実験をすることになるのですが、行ってみてあらためて思うのは、ここは間違いなく研究施設として世界最高峰であるということです。この場所は何といっても、「はじめに」でも触れたＬＨＣ（大型ハドロン衝突型加速器）という世界最大の加速器の存在によって知られています。全周27㎞という、山手線くらいの大きさを持ち、２０１２年にヒッグス粒子が発見されるのにも使われた装置です。

いまの物理学の世界で、「理論的には絶対にあると言われているけれど、まだ見つかっていない素粒子」に、重力子というのがありますが、ＬＨＣならもしかしたら見つかる可能性もなくはないとも言われています。未知の発見にもっとも近い――それがＣＥＲＮの力です。

科学の世界によくあるのが、「新しい粒子をあのチームが見つけました」といったニュースが飛び交うことです。世界中を噂が駆け巡り、「じゃあ、もしかしたら、うちでも見えているのかなぁ」と、みんな一生懸命自分のデータを見直すわけですが、「いや、うちでは見えていない。なんであそこの研究室だけは見えているの？」ということになったりする。そのうち「うーん、ないんじゃない？　やっぱりないよね」「あいつらが見つけたのはいったいなんだったんだろうね、夢でも見てたのかな？」とあちこちの研究者が話すようになって、そのまま誰も見つけられなければ、発見は幻として消えていきます。

でも、CERNならどんな発見があってもおかしくない。同じ実験室の中のこっち側にハーバードのチームがいて、向こう側にEUチームがいて、かたや日本のチームもいて……というふうに、毎日お互いの顔を見ています。そうすると、他のチームの研究者が何をやっているかも見たり聞いたりして把握できるし、顔つきからお互いの進捗状況まで感じ取れるようになります。研究計画は手の内が明かされた状態でスタートするとはいえ、発見して論文にまとめるまでは誰が早いかの競争です。発表になるまでは自分の状況が悟られないよう、お互いに相手の表情を読み合うという、ポーカーのような駆け引きもあったりする。これ以上の刺激はないし、世界はこうやって新しいことに向かって動いているんだということも感じられます。

加えて、CERNではサイエンスの根本的な作法を体験として学ぶことができます。

例えば、CERNが絡んだ〝世紀の大発見〟に、「光より速いニュートリノ」というニュースがありました。

ある時、CERNからニュートリノビームをイタリアの山中にある研究所に打ち込むという実験があったのですが、その実験チームは「観測したニュートリノが、驚くべきことに光より速く飛んでいた」と発表したんです。これはもしも本当なら、〝世紀の〟どころではなく、「光より速いものはない」という物理学の原理そのものを揺るがす大発見になります。

物理学者じゃなくてもびっくり仰天するようなこの発表は、世界中を駆け巡ります。「もし本当だったときのために」と、事象を説明する理論を念のため作ろうとする理論家まで出てきたり、たくさんの研究者が検証の実験をしたりと、時間をかけていろいろと調べられました。その結果、なんと測定装置のケーブルがちゃんとささっていなかった、つまり、きわめて初歩的な機械のミスで出てきたデータだったということが分かり、一件落着となったんです。

そこで、あらためて思うことがあります。科学は一般的なイメージと違って、間違えるものです。だけど、それが本当に間違っていたならば、いずれ——その「いずれ」というのが明日なのか、来年なのか、10年先なのかは分からないけれど——「間違っていた」と必ず分かるシステムなんです。

科学とは、不断に検証されながら進歩するシステムです。だから、仮に間違っていたとしても、多くの場合、それは無駄ではありません。これは実験でも同じで、一生懸命やって結果が得られても、不注意で間違えることもあれば、よく「統計のいたずら」と言われるのですが、本当は完全にランダムにでこぼこなグラフなのに、そこにあたかも統計的に意味のある山が立っているように見えて、勘違いしてしまうこともある。

でも、間違いはいつか正される。一生懸命やって間違えた人たちがいたからこそ、科学は進歩してきたという側面があるのです。誠実にやって間違えた科学者にも、科学という一大プロジェクトを進めた功績がある。それはプロでも、学生でも関係ありません。

さて、僕たちがCERNで最初に注目された成果といえば、2002年に、ほぼ丸1日かけて5万個以上の反水素原子を作ることに成功したというものです。それまでは、反水素原子を作るといっても、たかだか10個くらいで、寿命もとても短いものだったのですが、僕らは特殊な方法を使って5万個もの大量の反水素原子を作り、寿命も1万倍まで延ばすことに成功しました。これをまとめた論文は、「ネイチャー」に掲載されました。科学雑誌の「ネイチャー」や「サイエンス」は、科学業界全体にとっての一大メジャーで、そこに載ることは、権威ある学会誌に掲載されるよりもさらに上のインパクトがあります。

この成果は当時の反物質研究に大きな影響をもたらし、その後の研究が格段に進むようになりました。初期の宇宙を人工的に作るといっても、10個と5万個では観察できる量も、未知の事象が起きる確率も、大きく変わってくるのです。社会的な反響も大きく、発表したすぐあとには、大学のホームページ内にあった僕の研究室のページにアクセスが殺到して、サーバーが落ちました。

「おもしろい」で人を説得する覚悟

こんな研究が続けてこられたのも、まず大きいのは、「学問の自由」がきちんと保障されていたことです。戦前、戦中の科学者たちのように、政府からあれしろ、これしろと言われることなく、国民の税金や大学、研究施設からいただいた研究費を預かって、新しいことを探求できました。僕はそのことへの感謝を、忘れることはありません。

そうはいっても、僕たちがやってきた研究がどんなものかは、ほとんどの人には知られていません。分野外の人に説明する機会はあまりないし、日本人がノーベル物理学賞を受賞したりした時に、これはどんな研究なのか？　と話題になるくらいです。ＣＥＲＮにあるＬＨＣのような巨大な研究施設でおこなうビッグサイエンスには、「これだけのお金をかけて、どれだけの〝収穫〟があるのか？」という批判だって常につきまといます。つまり、「それって何の役に立つんですか?」ということです。

相手が物理畑の人たちだけなら、専門用語だらけの説明でも全く問題ない。それこそCERNで「あれを使って実験をやらせてください」というプロポーザルを持って、予算委員会で英語のプレゼンを30分やり、質疑応答を15分やるほうが、はるかに楽です。お互いに、何をやっているかは分かっていますから。

ですが、文系、理系問わず他分野になってしまえば、専門用語だらけのプレゼンは通じません。例えば僕が工学や社会科学の人の専門用語だらけのプレゼンを聞いても、きっと理解できないでしょう。うまく伝わるように話してもらわなければ、研究の価値を判断できないんです。

そういう時にとても大事なことは、誰が見ても「CERNなんて聞いたこともないけど、あいつは、おもしろがっている」と伝わることだと思います。「私はこれが本当におもしろいと思ってやっているんです、役に立たないかもしれないけど」ということを、真顔で言いつづけることができるかどうか。これが大事です。

物事を説明する際に、「それがどんな役に立つか」を語るのはひとつの有効な方法です。そういう語り方をしたほうが相手に納得してもらいやすいし、分野によってはそれを明確に語れる研究もあります。でも、基礎研究をおこなっている僕たちは、お金をいただいている責任が生じている以上、「すぐに研究結果が社会の役に立つ」かのような無責任なことは言えません。それは嘘になるからです。僕が本書で社会に対して役に立つと言っているのは、科学の考え方や思考法であって、それと個々の研究の内容そのものは別です。

山崎先生はいつも、「これはおもしろいぞ」となるとそれを猛烈に語り始め、その熱量は研究についてまったく知らない人にまで伝染し、だんだん「この人がこれだけ言うんだから、おもしろいのかもしれない」と思わせ、最終的にお金まで出させてしまうという人でした。そういう人に育てられた僕も同様に、新しい研究を考えるときにはまず第一に、それが「おもしろいかどうか」を考えるようになりました。「何の役に立つか」は出発点ではないのです。

何度も思い出すのは、小柴昌俊先生がノーベル物理学賞を受賞した日の夕方、記者会見をしたときのことです。記者が「ニュートリノは、何か役に立ちますか」という趣旨の質問をしたとき、先生が「役に立たない」と間髪をいれずに答えたことがありました。

小柴先生のように、研究が本当に革新的なレベルに達すれば、「役に立たない」と言っても、それでも人々を「なるほど」と納得させることができるんだ、という感動を覚えました。

これは、「基礎研究は役に立たないから尊い」という話ではありません。「役に立たないけれど、おもしろい。誰もやっていないことなので、やらせてください」と正直に伝えることが大切なんだなと、小柴先生を見てあらためて思ったのです。本当に役に立つかどうかは、あとの世代の人間たち、そして歴史が決めていくことであり、僕たちが決めることではありません。科学というプロジェクトは、そうやって進化してきました。

もしかしたら、僕が研究していたことが、いつか未来のエネルギーの基礎になっているかもしれないし、ならないかもしれない。宇宙の謎を解き明かすことが、人類の危機を打開する切り札になるかもしれないし、ならないかもしれない。何世紀も前に天体望遠鏡で星をのぞいていた人たちの研究が、巡り巡ってGPSになり、スマートフォンに転用されてきた歴史を考えれば、それは誰にも分からないということが、理解してもらえると思います。

「人がやっていないので、やらせてください、おもしろい研究です」と胸を張って言えるような研究を小柴先生はやってきたし、僕の師匠である山崎先生も常にそういう姿勢を見せ続けてくれました。それを見て僕自身も、反物質や反陽子が「役に立つ」とあえて言い張るよりは、言わずに勝負したいと思ってやってきました。

もちろん、僕の研究に対しても批判はありました。「それ、まだやってんの?」「反物質の質量なんか測って、何になるわけ？」と言われることもありました。僕たちがＣＥＲＮで使っていた減速器は円周２００メートルで、ＬＨＣとは比べ物にならないほど小さい装置です。最初に反陽子を求めてＣＥＲＮにやってきた時だって、その前身の装置から〝おこぼれの反陽子〟を分けてもらって、「パラサイト」として実験を始めたんです。本来なら、ＬＨＣの稼働とともにＣＥＲＮは反陽子の研究を終わらせ、装置の使用も終了するはずでした。でも、僕たちや別の小さなグループの続けていた研究が意外におもしろそうな様相を呈してきたということで、あらためて装置を改造して反陽子減速器を作り、国際研究チームを組織することになったんです。

ビッグサイエンスの傍ら、僕はここでも〝傍流〟から道を作ってきたことになります。この時だって、「やっている本人たちは、本当におもしろいと思ってやっているんだな」ということが十分に分かってもらえたからこそ、反物質の研究をプロジェクト化することができました。

ＣＥＲＮには約20年いましたが、その間、一度も途切れることなく毎年、予算を取り続けることができました。どこかで腹をくくっていなければ、周りもサポートしてくれません。本人たちが「こんなもの」と思ってやっている研究は、誰も助けてくれないのです。

基礎物理定数をちょっと書き換えた

僕は2008年に、仁科記念賞をいただきました。ジュネーヴでその知らせを聞いて、研究室のメンバーに祝ってもらいました。少し時間が遡りますが、僕は2000年に肺がんを患い、右肺の一部を切除する手術を受けています。その時にも思いましたが、研究はいつまでも続けられるものではないし、やはり僕にも終わりはやってくる。そこで、僕にしかできない、科学の世界に貢献できたと言えることはなんだろうかと考えるのです。

僕にはあるだろうか。ある——そのひとつが、仁科賞の受賞理由となった研究です。「基礎物理定数」というものがあります。これは、高校の物理の教科書や化学の教科書の後ろに載っている「理科年表」に出てくるもので、「電子の質量は何キログラム」「電子の電荷は何クーロン」「光の速さは何メートル毎秒」と定義されている、科学の共通基盤です。こういう定数は各自が適当に決められるものではなく、一部のものは科学の進歩にあわせて、国際的な機関が3年に1回、改定することになっています。その改定作業のときに、「陽子の質量」、正確にいえば「陽子と電子の質量の比率」について、僕たちのＣＥＲＮでの実験によって分かった数値が使われることが決まったのです。これは、僕たちの研究結果が、プロの科学者から高校生まで使える物理の共通ルールとして、認定されたということを意味します。

僕たちが測っていたのは反陽子で、陽子を直接測ってきたわけではないんですが、僕たちは反陽子の質量精度を、陽子の質量精度とほぼ同等ぐらいにまで測れるようになっていたんです。それで、僕たちが測った反陽子の質量が、陽子の質量として使われた。専門外の人たちからすれば地味だけれど、基礎物理定数に関わる研究は物理を基礎付けるもので、科学的な貢献になります。

僕たちが反物質の質量を測り始めた当初は、まったくそんなことは考えていませんでした。それこそプロからも「なんでそんなものを測っているのか」と聞かれるくらいだったし、僕ら自身も、自分たちの測っているものが何かにつながりそうだとは思いつつも、単におもしろいから、誰も測っていないから測っているだけなのか、それともこれを測った先に何かがあるのか、分かっていませんでした。最初はレーザーの扱い方をグループの誰も知らず、レーザー専門の先生のところへ行って鏡の磨き方から教えてもらい、ＣＥＲＮの内部に埃ひとつ入らないクリーンルームを新たに作って、一から学びながら測り始めたんです。実験の予測をつけるためにロシアやブルガリアの理論家を探し当てて、お金のない彼らをスイスに呼んだりしながら、一歩一歩、実験を進めていきました。これもまさに、「アマチュアの心」で始めた研究でした。

転機になったのは、CERNで僕の近くにテオドール・ヘンシュというドイツ人の物理学者がいて、彼からいいヒントをもらったことです。ちょっと細かい話になりますが、それまで僕たちは反陽子を測る際に、レーザーで「波長」を測っていたんですが、彼のアドバイスや手ほどきを受けて、それよりずっと厳密な精度が出せる「周波数」を測るようになりました。ヘンシュ先生はレーザーの周波数を原子時計の精度で測れる技術によって2005年にノーベル賞をとった人です。その影響で、僕たちも「これからはもう波長を測る時代じゃない、周波数だ」と切り替え、反陽子の質量を厳密に測って、何桁まで出せるかを追求する方向に目標を定めました。

新しく設備を整え、絶対精度として「陽子の質量いくら、反陽子の質量いくら」を9桁、10桁まで測れる技術を手にしました。「これがうまくいけば基礎物理定数に貢献できるし、もしもまったく想定外の数値が出れば、それはそれで大発見だ」――と、目的を定めて取り組むようになったんです。その成果が公にも認められ、CERNでは研究の過程で「ネイチャー」や「サイエンス」に掲載される論文をいくつも出すことができました。僕たちは「理科年表」や教科書を少しだけ書き換える仕事ができたことになります。

僕も十分に年を重ねて、科学者人生も最後が見えたかなというところまできたのです。

goal-oriented か、curiosity-driven か

ヘンシュ先生から学んだことはもうひとつあります。彼はノーベル賞を受賞した年の講演のなかで、１枚のイラストをスライドに映しました。柵の中にいる大きなニワトリが力ずくで柵を押し進めて、外にあるエサを取ろうとしています。その柵の外にはヒヨコがちょこちょこ歩いてきて、そのエサを見つけてついばんでいます。これは、この本でも語ってきた、科学者としてのあり方を考えさせる図なんです。君は、ゴール・オリエンテッド（goal-oriented：最初にゴールありき）か、キュリオシティ・ドリヴン（curiosity-driven：好奇心で動く）か、と。僕はもちろん、後者です。

前者は、目の前に見えているエサに向かって突き進む。後者は、好奇心が赴くままに自由に動いているうちにひょっこりエサを見つける。ビッグサイエンスは、「新しいあ

の粒子を発見する」というようなあらかじめ決まったゴールに向かって、とにかく力ずくで柵を押し進める。でも、僕は研究するにあたって最初に目的を考えるようには育てられていないから、目的よりも先に「これ、おもしろいな」と、ちょこちょこ好奇心で突っ走るんです。

枠の外を歩き回った先にエサがいつも見つかるかは分からないけれど、ゴールが決まっていてみんなでそれに向かって頑張るよりは、好奇心を大事にする小さなヒヨコが性に合っているし、そういう科学者として生きてきました。

振り返ってみると、僕は科学者人生の中でいろいろな頼まれごとをされて、それを引き受けてきた。見ようによっては随分と受動的だけれど、絶対に曲げなかったのは「それは自分にしかできないことか、自分が最適任者か」ということでした。そこに「誰もやったことのないことか」という軸が加わり、これまでの仕事が成り立っています。

人から頼まれることは消極的なことではなく、自分の仕事があるということです。誰もやっていないことということのは、科学者として探索を続けるということ。僕は大きなプロジェクトを仕切っていた時でも、結局、大事にしていたのは「自分にしかできない仕事をしたい」ということに尽きたと思います。それからもうひとつ、僕は「つまらない」と思うことは絶対にやらなかった。

大きなニワトリの一部になるよりは、なんだか分からないけどひょこひょこエサを求めるヒヨコでいたい。

このヘンシュ先生の講演を聞いたのは2005年だったけれど、もしも若い時に「どっちがいいですか」と聞かれていたとしても、僕は真っ先に「後者です」と答えていたと思います。

科学は科学者たちのバトンリレー

「ASACUSA」も、もうプロジェクトとしての使命は終わりつつあります。いまCERNでは、僕たちが使ってきた減速器で作った反陽子をもう一回り小さい円型の装置に入れて観察する「ELENA（エレーナ）」という後継プロジェクトが立ち上がり、実験を進めることになっています。僕はもうELENAでは実験をしないと決めていました。僕たちの世代がいつまでも残っている必要もないからです。

もちろん建設には協力をし、資金調達やマンパワーの協力はやってきましたが、そこで終わりです。実験をやるのは僕ではないので、「ＥＬＥＮＡでのスポークスパーソンは僕じゃないよ」ということを定年になる1年前に周囲に宣言して、次の責任者を選びなさいと言いました。１９９７年に反物質工場の建設が決まり、２０００年から研究が動き始め、17年ぐらい実験をして、最初に提案したところから数えるとちょうど20年です。ここで一段落しようと決めました。科学者の人生は本当に短いですね。

僕たちがやってきた「測定の高精度を出す研究」は、それまで分かっていたのより1桁余計に測るという研究です。反陽子の質量を昨日まで人類は6桁まで知っていたけれど、今日は7桁目を決めることができた。これをあと3年頑張ると8桁目が分かります、さらにプラス3年、5年頑張ると9桁目が決まります――そういう研究なので、地味なものです。時間はものすごくかかるし、その分なにか目覚ましい発見があるかというと、そうでもない。もちろんそれをずっと続けて、どこかで反陽子と陽子で決定的な違いがあれば、もう天地がひっくり返るほどの大発見なわけだけれど、そうでない限りは「まぁそうだろうね。うん予想通り」とみんなが言う研究です。

でも「〝そうだろうね〟と考えられていたことが、実際にそうだった」と決めていくのも、実験家としては大切な仕事です。今、「〝宇宙の成り立ちはこうだった〟と理論的に考えられている」という話はたくさんあります。でも、それが本当なのかどうか。物理学者たちが目指そうとしている、あらゆる理論を統合した、万物の成り立ちを説明できる究極の理論——統一理論は、いまだに完成の途上なのです。

サイエンスは人類のバトンリレーで、科学者たちは過去より少しでも新しいことをやって、次の世代にバトンを渡していきます。僕もいろいろな実験をやり、論文も書いてきて、もうバトンを渡すターンになりました。

僕の科学者人生でいえば、ちょうどバトンを渡す準備を始める時期にさしかかった2011年に、日本で東日本大震災と福島第一原発事故が起きます。僕はそれによって、サイエンスの世界から、もっともっと広い社会の中に放り込まれることになりました。そこであらためて、社会の中の科学者の役割とは何かを考えさせられることになったのです。

第5章　社会のための科学者――福島

2011年3月11日、科学者の「発信」が始まった

地震が起こった時、僕は本郷のキャンパスにいました。僕は当時、東京大学の専攻長、つまり管理職だったので、揺れが収まった直後はまず安田講堂前にみんなで逃げた上で、避難した学生たちの数を数え、全員の避難が完了しているか、逃げ遅れている人がいないかを確認するところから対応を始めました。図書館などの建物の中を見回った結果、幸いなことに大きな被害はなかったので、ツイッターで「帰宅難民の方々、東大でも少し受け入れる余地があります」とツイートした記憶があります。

僕のツイッターは当時、ホームページの更新がわりでした。研究室のホームページのトップにツイッター画面を埋め込んで、僕の動向を知りたい人はそこから確認ができるようにしていたんです。研究が忙しくてホームページをいちいち更新できないし、ブログも面倒だと思っていたところに、ものすごく簡単なSNSが始まったという話を聞いて、すぐに飛びついたのでした。僕は機械いじりが好きだから、スマートフォンも好きだし、ツイッターも日本版のサービスが始まる前からやっていました。2011年3月

11日以前、僕のツイッターを見ている人はほとんどが「物理学クラスタ」の人々に限られていたし、ツイッター全体の雰囲気もまだアマチュア的で、メディアや役所が公式アカウントを運営することも少なく、誰かの一言で大炎上が起きるようなこともなく、とても平和で牧歌的な空間でした。その空気が一気に変わったのが、震災と原発事故だったと思います。

地震の当日はそうこうしているうちに、夜になって地下鉄が動き始めたので、それに乗って帰宅しました。津波の状況は知ってはいましたが、僕はまだ自分の半径5メートル以内のことをやるだけで精一杯でした。家の中は地震でグラスや花瓶が落ちて割れ、テレビは床に落ちていて、元の場所に戻しても映らない。「こればかりはしょうがない」と言ってそのまま寝ようとしましたが、余震の震源地の移動を示す動画をつくってツイートしたりしているうちに、結局ちっとも眠ることができませんでした。

翌3月12日は、ニュースをインターネットでストリーミングするサービスが始まったので、壊れたテレビの代わりにそれを見ていました。津波被害の甚大さに言葉を失い、衝撃を受けていると、福島第一原発の構内で放射性物質のセシウムが検出されたという一報が入ってきます。

僕は１９７３年に、中国が核実験をおこなった直後の東京を経験しています。「ちょっとまずいことが起きているのかもしれない」と思いながら、科学者の習性としてデータを探し始めました。東電のサイトをはじめ、得られる限りのものをウェブ上で探して、原発周辺のモニタリングポスト（空間の放射線量を計測する装置）のデータを見始めます。そのうち、ＮＨＫでも解説委員や専門家が出てきて解説が始まった。僕はそうした解説に対して、最初は評論家のような立ち位置で、ツイッターに「今、ＮＨＫはこう言っていたけど、それってこういう意味なのかしらね」みたいなことを、１４０文字に収まる範囲内でツイートしていったのです。

その後、東電側からデータが公開されるようになったものの、表に数値が並んでいるだけではよく分からない。それを自分で整理し直し、グラフ化して、他の地域の原発のモニタリングポストのデータとも比較し、ツイッターにアップしていきました。この頃にはヤフーニュースが、原発事故に関する情報を発信しているサイトの一覧を公開したのですが、その中に僕のツイッターアカウントが入っており、ここでフォロワーが一気に15万にまで増えていきます。新聞各社、国内外のテレビ局からの取材申し込みも入り始めましたが、僕はこの分野の専門家ではないため、お断りしていました。

これが過酷な日々の始まりでした。チェルノブイリやスリーマイル島など過去の事故の報告書を読みつつ、家の中で朝から晩までデータをグラフ化し、「こういうデータがありました、グラフにするところです」とつぶやくという、シンプルな発信をただただ続ける日々が続きます。しばらくは連日3時間睡眠で、起きている間は食事をゆっくりとる暇もなく、ご飯は一口握りで食べながら作業を続け、気づけばビールの気が抜けていたこともしばしばでした。風呂では寝込んで水死寸前、挙げ句、秋には倒れて東大病院に一泊入院しています。

発信するにあたって、僕が一貫して大事にしていたことは、「データと文献にあることしかツイートしない」ということです。このことは、徹していこうと決めていました。それは、データや文献に僕が勝手な解釈や判断を加えることはしない、ということです。あくまで物理学者として書けることは、データと文献にあることだけ。それ以上はやらない——そういうルールを自分に課していました。

この頃、ある学会は、所属する科学者たちに原発に関する発信をすることを禁じた、という話も聞きました。危機時の情報発信の鉄則には「シングルボイス、ワンボイスであるべきだ」というものがあり、この判断は理解できます。専門家とみられるような人たちがめいめい好き勝手に何かを言うと、「誰の言っていることが本当なのか」と現場も混乱するし、政府当局だって混乱します。公式発表は、ひとつのところから、統一的にやるべきであるという原理原則があるわけです。特に、原発の専門家、あるいは専門家に近い人たちが、ばらばらに発言をすることの危険性はある。しかしその一方で、多くの人は「福島第一原発が今どうなっているのか知りたい」と思っていて、そのニーズに発表側が追いついていないという現実もありました。

僕は、原発事故についてはニュースレベル、公式発表レベルの情報しか持っていない立場でした。そんな中でも、発表されたデータの中から要点となる数値を読み取ることや、それをグラフ化して他のデータと比べることなら、専門外であっても科学者が共通してできることです。だから最初から、「あくまで科学者一般としてできることをやっていく」と決めていました。

本当の原発の専門家は別にいます。この初期の混乱が収まる頃には、そうした人たちがちゃんと出てきて僕の出番は終わるだろうから、そうなれば僕はさっさと引っ込んで、震災以前のように「今日は科学者誰々の誕生日」「今日は偉大な発見があった日」といったほのぼのしたツイートをするアカウントに戻ろうと思っていたんです。今はたまたまフォロワーが増えたけれど、この時期が終われば僕はやらなくていいし、すぐにそうなるだろうと思っていた。だから、当初は3月末で原発に関するツイートはやめるつもりでいました。結果的に、その見通しは甘かった。翌日4月1日の東電の発表に大きな誤りを見つけたことから、僕はそのままデータの確認を続けることになります。

一度、東大からは「早野黙れ」と言われたことがありました。３月11日から数日が経って、研究室にいたときです。総長室から大学の幹部がやってきて、「ツイッターはとにかくやめてくれ」ということを言われました。僕はそれに返事をしなかったんですが、内心〝やめてくれと言われてもなぁ、フォロワーもいるし、いきなりやめるのも不自然だしなぁ〟と思っていました。考えてみても、別におかしなツイートをしていたわけではないし、その後は繰り返し注意をされたわけでもなかったので、ツイッターは継続しました。

そのデータは「普通の人」にとってどんな意味があるか？

当時、〝意外と専門家は分かっていないんだな〟と思わされたのが、情報発信のやり方でした。同じ東京大学で例を挙げると、東大病院の中川恵一先生のチームによるツイッターの発信です。３月15日にアカウントができて発信が始まったばかりのころは、非常にぎこちないツイートをしていました。

僕は「自分は医者ではないので、健康への影響に関しては言えません。チーム中川がツイートを始めたのでそっちを見てください」と誘導しました。そこで彼らが何をやったかというと、まずブログかホームページに書くような長い文章を書いて、それを140字ごとに細かく切り分けて、連続でツイートし始めたんです。

ツイッターというメディアでは、このやり方はうまくいかない。読んでいる人は、真ん中のひとつのツイートだけを抜き出して読むこともある。前後のコンテクストと無関係に、個々のツイートが拡散していくことがあるんです。ツイッターの発信は、1ツイートの文字制限の中で完結するメッセージにすることが重要です。

中川先生のチームは、自分たちが今やるべきことをしようと、医局の若手も含めて専門家として手を動かし、足も使い、福島県の飯舘《いいたて》村などの現場にも入って、相当一生懸命に頑張っておられました。でも、メディアの特性に合わせて、人に伝えるべきことを発信することには別の困難さがあるのだと思いました。大事なのはやっぱり伝わることです。

震災後、ほどなくして「実は政府が発表している放射性物質の計測値は嘘で、真実は隠されている。その根拠は、自分たちのガイガーカウンター（放射線量測定器）の計測値にある」という話があちこちから出て、広がりました。これは典型的な陰謀論なのですが、そういうことを言いたくなる気持ちも分からなくはありません。一方で、「高い値が出る」と言っている人たちに対して「測り方がおかしい。嘘をつくな」という人も出てきた。ここで大事なのは、どちらが嘘か本当かということ以前に、「みんなが〝放射性物質の飛散量を知りたい〟と思っている」ということです。

僕はガイガーカウンターという機械の特性を知っていたし、さまざまな場所のデータを継続して見ていたので、個々の計測結果に振り回されることなく、淡々と基本的なことを繰り返し伝え続けました。ガイガーカウンターはメーカーによって計測値にかなり差があり、極端に高い数値ばかり出る個体はうまく設定が機能していないこともあります。他の線量計による計測だとこのくらいの値で、数値に差はあるけれど全体的な傾向は同じだとか、そういうことを伝えていくのが大切でした。

当時、ある技術者が、政府や東電、自治体による公式データとツイッターやネット上にあがったさまざまな「この場所で測ったらいくつだった」という個人の測定値を地図に重ねて、どのくらいの差があるかを示す「放射線地図サイト」を仲間と作って公開していました。この地図は本当によくできていて、大量にデータを集めると、測定機器によってそれなりに差は出るけれど、傾向としては概ね一致するということが分かります。

つまり、誰も変な嘘をついていたわけではなく、機器によって0・23μSv／h（マイクロシーベルト毎時）と出るか、0・27μSv／hと出るかというくらいの差を言っていたにすぎないということが分かりました。

大局的に見れば同じ傾向だと分かるとツイートすると、「あぁなるほど」と、納得してくれる人も出てきました。みんなが関心を持っていることに、データをつき合わせていくことによって、普通の人たちの「知りたい」に、ツイッターというメディアを使って応えていく。危機時にはこういうコミュニケーションができるんだと思いました。

この頃には、僕の活動のサポートをしてくれるグループがSNSを中心にできていました。知っている人もいれば、全く面識がないまま活動してくれる人もいました。

つぶやかない一線、政治との距離のとり方

当時、「何を発信するか」と同じくらい大切にしていたのが、「自分が科学者として言えることはどこまでか」「どこから先は科学者がやれることの範囲を超えているのか」

という一線でした。具体的な事例をあげましょう。震災直後、ツイッターで急に増えたフォロワーから、「あなたは今、本当に東京にいますか？」という質問がいくつも寄せられた時期がありました。僕の東大教授というプロフィールを見て、〝この人が東京にいる間は、私もまだ東京から避難しなくていいだろう〟という判断の助けにしたかったのだろうと思うのですが、僕はそれに対して「イエス」とも「ノー」とも答えませんでした。僕は返事こそしないけれど、東京にいることが分かるようなツイートをしていましたが、当時、ツイッター上のメンションに対しては、個別に返事をするということを一切しなかったのです。

震災直後は、「アメリカ政府は福島第一原発の80キロ圏内にいる自国民へ避難を促した。80キロというと福島市も範囲に入るけれど、原発からどのくらいの距離にいれば、避難しなくてよいのか？　原発から３００キロ離れた東京は本当に安全なのか？」という不安がツイッター上にかなりありました。でも僕にできることは、データを見つけてグラフや地図の形で整理し、「いまはこういう状況にある」ということを論評なしにひたすら流すことだけです。それ以外の内容には、一切対応しなかった。それは科学者の領域をはるかに超えることだからです。

政治に関しても同じで、僕は最初から一線を引くと決めていました。原発の専門家ならば、専門家集団の一員として政府に科学的な立場から助言をするという仕事もあるでしょう。しかし、僕は原子力については、他の多くの物理学者と同じように、普通の人よりは知っていることもあるけれど、専門家ほど深くは知らないというレベルの科学者に過ぎません。そうであるならば、専門家のごとく政治に関わるということは控えなければならない。仮に政治システムのなかに組み込まれれば、自由にツイッターを更新することもできなくなります。僕の発信を受け取る人たちからすれば、「政府の中に入った人」というバイアスもかかるでしょう。

僕は比較的若い頃から、文化も環境も違うところにあちこちいたので、「この国ではここまではOKだけど、日本ではNGだ」というふうに、環境や時代によって規範が変化するということを身をもって体験してきました。一定の社会的な立場も背負ってきたので、公に向かって発言する際にはどこかで自制が働いています。それはツイッター上だけでなく、僕と世の中との付き合い方、人との付き合い方全般にも言えることです。「いまの世の中の規範ではどこに境界線があるのか」を考えながら、感覚を研ぎ澄ましておかないと、SNSでも、社会生活においても、ハイリスクになってしまいます。

世間とずれた物差しのままツイッターでうっかり発言してしまう、それも危機の時に発信してしまうというのは、非常に良くない。答えなくていいことや、自分が答えるべきでないことには答えないという一線を守ることも大事です。もうひとつ付け加えると、ツイッターはあくまで世の中の一部であって、世の中全体ではありません。「ツイッターの中ですべてをこなそうとするのは無理だ」という割り切りも必要です。

僕は一物理学者として、政治家や官僚から質問があった際に、答えられる内容ならば答えるけれど、自分からコンタクトはとらないという姿勢を貫いていました。ただ、本当に自分にしかできないこと、やるべきことがあるときだけはやると決めていました。

例えば、東大の総長室から「ツイッターをやるな」という意向が伝えられた前後に、首相官邸の広報チームで国外メディアを担当しているスタッフから電話があり、外国の特派員相手の会見を手伝ってほしいと頼まれました。その依頼を、僕は断っています。彼らが困っていることは分かったんです。あれだけの大事故が起こっている状況で、事態が分かっていて、専門家でない人に対しても英語で説明ができて、しかもマスコミも相手にできるような人は限られていたのでしょう。でも、人助けのつもりで一度でも手伝って、中に入ってしまったら、自分で生のデータをインプットする時間がとれなくなってしまいます。

僕が発信をし続けられたのは、相当の時間をかけて自分自身でリサーチをしていたからです。「あのデータはどうなっている」「原子炉内の温度はどうなっている」「あそこの放射線量はどうなっている」「プルーム（放射性物質を含んだ気流）はどこを通過したのか」といったデータを、公表されているものは全部、可能な限り自分で見ていた。それから、グラフや地図にまとめたものをツイートする作業に入ります。これは科学者の仕事です。しかし、もしも官邸に入ってしまったら、自分自身で生のデータを見る時間はとれなくなり、人から上がってくるペーパーをもとに応答するだけになってしまいます。それは科学者の仕事ではありません。

他には、同じ時期に、当時文科副大臣だった鈴木寛《かん》さんから、彼の友人である同僚経由で「東大の物理の方々の話を聞きたい、とにかく状況が知りたい」と副大臣室に呼ばれたことがありました。

議論は「ワーストケースの場合、どんなことが想定されるでしょうか」から始まり、僕が「副大臣はSPEEDI（スピーディ：緊急時迅速放射能影響予測ネットワークシステム。原発事故によって放出される放射性物質の量や広がりを気象や地形などから予測するシステム）のデータを見ていますか」と聞いたところ、彼は見ていませんでした。僕は事故後にSPEEDIの存在を知り、その予測を知りたいと思っていたので、なぜデータを見ていないのでしょうか、と重ねて尋ね、もしあるのだったら早く公表したほうがいいのではないかと話をしました。

事故直後は、汚染がどこまで広がるのか、そして現に広がっているのかが分かっていないことが問題でした。ＳＰＥＥＤＩ以外でも、どこが汚染されているのか、それはいつどれだけ出たと推定されるのか、そこが汚染されているのなら理論的にどこも汚染されている可能性があるのか、ということを推定するための気候のシミュレーションは、早い段階でできたはずだったと思います。これは気象学の専門家の領域で、その分野の専門家ならば計算できるに違いない、ということまでは科学者として分かるわけです。実際、だいぶ後になりましたが、ＪＡＥＡ（日本原子力研究開発機構）の方々が、最終的にソースターム（原発事故によって放出されるおそれのある放射性物質の種類や量）を推定するということをやりました。

でも、事故直後はそうしたシミュレーションがまだなかった。そこで、「シミュレーションができないものか」とツイートしたところ、当時アメリカにいた若いポスドクの研究者とつながり、日本で公表されている地面の汚染データから、まだデータがない場所まで含めて「どの範囲でどのくらい汚染された可能性があるか」をシミュレーションしてくれたので、一緒に論文にして発表しました。僕も共著者になったその論文は、２０１１年のうちにアメリカの「ＰＮＡＳ」（全米科学アカデミー紀要）という影響力の高い科学誌に掲載されています。この時予測した値は、のちに航空機モニタリングで実際に計測された値と比べると、原発から遠いところほど実測より高くなっていたのですが、この英語の論文を当時、韓国のメディアが読んでいて、韓国では「日本は全国的に汚染されているらしい」と報道されてしまったという後日談もありました。このことを知ったのはだいぶ後になってからで、２０１９年に韓国の新聞のインタビューを受けた際に「いまは実測値が出ていて、論文の予測より低かったことが分かっているので、実測データを見てください」と、ようやく情報を正すことができました。ともあれ、まだ全国的な実測データがなかった当時、科学的な手法で計算されたシミュレーションを早い段階で出せたことには、ひとつ意味があったと思っています。

「科学技術コミュニケーション」に思うこと

3月の時点で、これは興味深いと思ったのは、イギリスでした。僕たちが文科省へ行って議論していたのとほぼ同じ時期に、イギリスでは首相が科学者グループに依頼を出し、シミュレーションをさせていたんです。イギリス政府首席科学顧問のジョン・ベデイントン卿という教授が当時、科学者の助言グループを統括していたようです。彼らは「東京にいる英国人は避難させる必要はない」という結論を出し、それを当時のキャメロン首相に伝えています。

新聞報道で知ったことですが、彼らの見積もりは完全にワーストシナリオです。それも、僕が当時素人ながらに考えていた想定をはるかに上回るワーストシナリオで計算していました。

「福島の一つの原子炉で放射性物質の大規模な放出が起きた場合に、東京で48時間のうちに浴びる恐れがある放射線の量は2～3ミリシーベルト程度になると見積もられた。仮に極端に悪い事態を想定し、3つの原子炉と1つの使用済み核燃料プールが壊れ、そこから出た放射性物質が首都圏に向けて風で流れ続けたとしても、15～30ミリシーベルト程度にとどまると判断した。ほとんどありそうもない事態を想定した過大な見積もりだ」（日経新聞電子版2011年6月7日付）と報じられているように、これは僕が計算してもありえないだろうというほどの想定です。でも、過大なのが悪いかといえば、そうではない。

その上で、「最悪の事態を想定しても避難は必要ない」と言っている。これは、危機時のコミュニケーションとしてはとても大切だと思いました。こういうことは、あとで交流を持つことになった科学技術コミュニケーション論の学者たちの専門領域なのですが、僕が素朴に思ったことは、「みんな危機の時には、ざっくりとでもいいので最悪想定を知りたがる」ということです。その際に大事なのは、数字だけが一人歩きしないように、計算の方法とシミュレーションの内容を大まかに公表して、厳密でなくても「15〜30ミリシーベルト」みたいな形で幅を持たせながら、公開していくということです。日本の場合は、情報公開も、最悪想定に基づくコミュニケーションも遅れてしまったために、さきほど紹介した地図の事例のように、たくさんの一般の人たちが自分で測ったデータが集まることによって、ある種の科学コミュニケーションが進んでいったという側面があったと思います。

もうひとつ、印象的なエピソードがあります。ある時、「車に線量計を積んで東京から国道6号線を走ると、柏を通った時に数値が高くなるんですよね」ということを言い出した人たちがいました。実際に測ってみると、やっぱり千葉県柏市は線量が高い。いわゆる「ホットスポット」(局地的に放射線量が高い地域)です。柏ではその後、民間グループが中心になって、地元の農産物の生産者や消費者が、小売業者も巻き込んで納得いくまで議論をして、どの場所でなら作物を育てていいか、どのくらいまでの放射性物質を含んだ食品なら出荷・流通して食べられるかなど、みんなで「安心」して生活するためのルールを自分たちで作る動きが生まれていきました。

これは、政府の公式なデータには載らなかった事実が、あちこちでいろんな人が測ったことによって見つかった例です。そのうちに航空機モニタリングが広い地域のデータを取るようになり、汚染の全貌を摑むにはそのデータが相当優秀だということが分かったため、個人で線量を測ることは徐々に役割を終えていきますが、初期の段階でたくさんの一般の人が測っていたことは、このように少なくない意味を持っていたと思います。

当初は、みんなが自分の家の周りの側溝や雨どいなどを一生懸命測っていました。それで「ここがこんなに汚染されている」「うちにはなんで除染が来ないんだ？」「政府の発表はやっぱり間違っている」「うちは避難すべきでしょうか」などの、ものすごくたくさんの声があった。その疑問から、コミュニケーションは生まれていきました。

僕がツイッター以上に大切だと思っているのは、現場です。柏の人々も、インターネットではなく現場でコミュニケーションを図ることで、うまく解決までの道筋をつけていきました。僕も一般市民向けの「ガイガーカウンターミーティング」に駆り出されて、「あっ、あの人の持ってきた機械で測ると高いけど、この人の使っている機械だと低く出ますね。こっちの人が買った機械はちょうど中間くらいだけど、どの機械も極端に高いとか低いということはないですね」と、実際に参加者と一緒に、それぞれの測定器を使って解説をしていきました。

そういうことをやっているうちに、だんだん詳細な汚染地図のようなものができてきて、首都圏では「外部被ばくを理由に避難しなければいけないかどうか」という話題も少しずつ収まっていきます。みんなちょっとずつ納得して、日常生活に戻る人が増えていきました。

僕はもうさすがに、これで自分の役割は終わったと思っていました。

内部被ばくという新たな問題

データを見て、その測り方の整合性をチェックして、確からしさを検証するということは、科学の共通のプロセスですから、プロなら多くの人ができます。外部被ばくについては、だいたい言えることも分かってきたし、今度こそ専門家に任せて……と思っていたところで、もうひとつの問題に直面しました。これもツイッターをやっていたから気がついたことだとも言えますが、内部被ばくの問題です。

僕が内部被ばくの問題と向き合い始めたのは、確か２０１１年の夏前、6月ごろでした。牛肉や一部の食品からセシウムが検出されて、ツイッター上でも「えっ、これって食べるとどうなるの？」「どうやら内部被ばくっていうものがあるらしい」という話が出てきたんです。当初は外部被ばくと内部被ばくの違いもあまり認識されていなかったし、やはり内部被ばくに関しては、放射性物質を自分の体の中に取り込んでしまうということへの人々の恐怖感がとても強かった。

たとえば、「同じ1ミリシーベルトでも、内部被ばくの1ミリシーベルトと外部被ばくの1ミリシーベルト、どっちが危険だと思いますか？」と聞くと、多くの人は「内部被ばくの1ミリシーベルトのほうが危険です」と答えます。「シーベルトという単位は、外部被ばくと内部被ばくを同じ土俵で比べられる単位ですので、危険度は同じです」と言っても、みんなそんなことは信じず、「絶対に内部被ばくのほうが危険だ」と言うんです。その状況を見て、これは内部被ばくについてもきちんとした形で測らなければいけない、今のところ誰がどうやって測っているのかと、僕も調べ始めました。

インターネットで情報を探すと、まずは食品を測るということで、ウクライナ製やベラルーシ製の測定器を民間の方々が輸入し、測りたい食品をすり混ぜて測定器に詰め、それで測るということをやっていました。だけど、これもガイガーカウンターと同じく、本来的にはプロ向けの機械を一般の人が無理やり使っている上に、どうも説明書をちゃんと読んでいるようには見えないんです。そうこうしているうちに、１９８６年に起こったチェルノブイリ原発事故後の内部被ばくに関する文献を調べている人たちから、「チェルノブイリでは事故から数十年たってもまだ放射性物質の入ったものを食べている」「当時、放射性物質を含んだ牛乳を飲んでいたから子どもたちの甲状腺がんが増えて大変なことになった」「福島でもこれから同じことが起きるに違いない」という声が上がり始めました。

チェルノブイリで内部被ばくによる健康被害が起きたことは事実ですが、それと福島の事故は、全く同じではありません。にもかかわらず、福島の内部被ばくがかなり危険であると主張する人が、「科学者」の中からも出てきました。

内部被ばくの危険性は、食品に含まれる放射性物質が体の中にどのくらい取り込まれ、どのくらい排出されているかを調べなければ分からないというのが僕の立場です。それは僕だけでなく、多くの科学者の立場といっていいと思います。科学は多数決で決まるものではないので、少数の意見だからといって無視すればいいという訳ではありませんが、論理的に成立する可能性があまりにも低い仮説を認めるかどうかは別問題です。

僕は実験家なので、何をするにもまずは計測しましょうというスタンスをとります。

それはここでも変わりませんでした。

内部被ばくについて報じられるようになると、日本政府が当初採用していた1キログラム当たり500ベクレルという暫定規制値の数値はとんでもなく高い、そんなものを食べていたら子どもたちは死ぬぞ、と言いつのる人たちも出てきました。アメリカで1200Bq／kg（ベクレル毎キロ）、EUで1250Bq／kgという基準値があることを考えると、とんでもなく高いというのは言い過ぎだし、実際は福島県産に限らず周辺地域も含めて、危機の中で万全とは言わないまでも計測は機能していて、チェルノブイリのように検査をスルーした食品が市場に流通するということはほぼありませんでした。それでも、食品を疑う声は強まっていきました。

僕は当時、ツイッター上のアカウントのリストをいくつか作っていて、放射性物質について特に不安が強い人たちの発信を定点観測的に読んでいました。それから、僕に批判的な科学者たちのリストも作って読むようにしていました。特に、不安が強い人たちの声はとても参考になりました。彼らは「500ベクレルという値はものすごく危険なほど高い基準だ」と認識し、「給食で子どもたちはいったい何を食べさせられているのだろうか」「福島県産の農産物が入っているんじゃないか」「規制値を超えたものが出回っているのではないか」と、不安を吐露するツイートをしていた。その声は、外部被ばくに関する不安を上回っていきました。

彼らの心配は当然だ、と言えます。なぜなら、科学的な推測では、さほど内部被ばくを心配する必要はないということが言えるものの、実測可能にもかかわらず、実測したデータがないからです。外部被ばくは個人がガイガーカウンターをオンラインで購入することが相次ぎ、自分で測って確かめることができましたが、内部被ばくはガイガーカウンターを体に押し当てて分かるものではない。自分の数値を知ることが、外部被ばくよりずっと難しいわけです。

また、測るにあたっても複雑な問題がありました。食品に含まれる放射性物質の量が分かったとして、僕たちは1回の食事で牛肉を1キロも食べないし、野菜だって1キロも食べません。それぞれの人が食べた量で計算しなければ意味がないのです。それに、おなじ食品でも食材時点と調理した時点では放射性物質の量はまったく違ってきます。水洗いするだけで数値が変わってしまうのです。「1973年の放射能汚染」の時、シャワーを浴びただけで髪についた放射性物質が落ちたように、表面についた放射性物質は簡単に落ちるため、どの状態を基準に測るかは難しい問題でした。

そこで僕が考えたのは、ふたつの方法です。ひとつは、人間の内部被ばくを測るなら、「ホールボディカウンター」という機械を使えばいいんじゃないか、ということ。僕はその頃、まだ現物を見たことはなかったけれど、その存在は知っていました。

もうひとつは、「みんなが何を、どのくらい食べているのか」を知るには、１食分の食事を丸ごと測ればいいんじゃないかということです。出来上がった食事を一人前に取り分け、「これが口に入ります」という状態にしてから測る。そうすれば、リアルな値が出ます。しかも、福島県をはじめとする東北地方や北関東地域では、兼業農家が多く、自家精米をしている家庭も少なくない。つまり、市場に流通していないものを食べている可能性があり、そこからくる数値のばらつきも予想されます。こうした不安と向き合うにも、１食丸ごとの検査をするほうが早いと考えました。

思案の末に行き着いたのは、給食です。給食では市場に流通した食材が使われるし、あの当時は福島県内のほとんどの小学校が福島県産の食品を避けていたので、高い数値が出る可能性はあまりないと想像しましたが、それでも「子どもたちが食べているものの中に放射性物質が含まれているかどうか」の実測を、やるべきだと思いました。長期的に測り続けることができるという点でも、給食は最適に思えました。

給食を測ろう、赤ちゃんを測ろう

2011年9月11日のことです。この日は早稲田大学で、科学者や科学技術社会論、社会科学の研究者とメディアの人たちが集まって、お互いの立場から議論をするという会が開かれていました。僕の関心はすでに内部被ばくへと移っていたので、その場で僕はこれまで温めていた給食のアイデアを切り出してみました。そうすると、学者からもメディアからも、反応は悪くない。そこで、「じゃあ、給食を測ることをどうやって実現しようか」と考えはじめました。

これまで政治とはなるべく距離を取りながらやってきましたが、おそらくこんなことを考えていて、真剣に動ける科学者は、僕しかいない。他の人に押し付けることはできるけれど、「ちょっとやってくれ」と言っても、本当にやるならばその人に相当の時間や労力を割いてもらわなければいけない。お金だっていくらかかるかも分からない。でも、これをやらないと、世の中に広く蔓延している不安は解消できない——。これは自分で動くべきだと判断しました。

チェルノブイリの報告書を読むと、地面の汚染度と人間の内部被ばくには緩い比例関係があって、比例係数も出ているんです。その係数を福島市や郡山市に当てはめると、住民の平均の内部被ばく線量は1ミリシーベルトを大きく超えるという計算でした。

学校の給食を測るには、当然、文科省の許可が要ります。僕は文科省の担当課を紹介してもらい、「給食を1食分だけ余計に作って、それを測る陰膳《かげぜん》検査をやってみたい」と提言しました。給食を毎日測れば、少なくとも子どもたちが食べている食事の3分の1は全量測ったことになるし、広い地域で測って結果を公表すれば、実測に近い形で分かるはずだ、と。各家庭の1日3食の食事を毎日測るのは現実的でないけれど、給食ならば集団で測れる。給食センターで測るのが一番リーズナブルだし、確実な方法だと言ったんです。

実は陰膳検査は、僕のオリジナルではなく、1950年代から行われている調査手法です。しかし文科省の担当者の回答は、「嫌です」でした。その理由を僕なりにまとめると、「早野の言うことはよく分かる。しかし、給食で仮に基準値を超える値が出たらどうするのか。もしかすると、給食という制度そのものが維持できなくなるかもしれない」ということだったと思います。彼らは真剣に、基準値超えが出るかもしれないこと、そして出た場合にどのような事態になるかを恐れていました。

こうして、最初のロビー活動は見事に失敗に終わります。〝下から話を上げるのが無理ならトップダウンで行くしかない〟と思った僕は、次に当時の担当副大臣のところへ行きました。まったく面識もなく、ツイッターで拝見するくらいの相手でしたが、その人は僕の話をよく聞いてくれて、前向きな反応を見せてくれました。

その席には、最初に「嫌だ」と言った担当課の方もいたのですが、結局、話を進めてもらえることになりました。大いに感謝しています。その後も一筋縄でやると決まったわけではなく、文科省の中の詳しい経緯は分かりませんが、とにかく最終的に、次の年に予算計上するということでまとまりました。

しかし、実際に予算がついて測定が始まるまでには、半年以上が経過してしまいます。「来年度になる前に測れないものか」と思った僕は、今度は南相馬市長に宛てて「世の中でいろいろ心配されているので、給食を測りませんか。南相馬市の給食は地元の食材を使っていないので、基準値超えは出ないだろうと思いますが、測った結果を公表することには意義があると思います」と書いたファックスを送りました。税金を使うと話が複雑になるようならば、僕の自腹でやりますという提案もつけました。返事はなしのつぶてでしたが、その後は後述する坪倉正治《まさはる》先生などとの出会いもあり、結果的に南相馬市では2012年1月から給食の検査が始まり、さらに「コープふくしま」でも組合員の陰膳検査が始まりました。

次年度から始まった文科省の検査も含め、上がってきた大規模なデータを継続的に見て分かったことは、地元の食材を使っている場合でも、基準値超えの数値は検出されないということです。内部被ばくは、チェルノブイリでの知見に基づいて想定していたよりもはるかに少なく、年間1ミリシーベルト以内という基準値を超える人はそうそういないだろうということが分かってきました。

南相馬市へのファックスに返事がなかった頃、僕はもうひとつの問題に巻き込まれていくことになります。それが、「ホールボディカウンター」による内部被ばくの計測についてです。

当時、ある調査会社が南相馬市立総合病院に熱心に売り込みにやってきていました。彼らの持っている機械を使えば、「尿検査で体内のセシウムを仔細に分析できる」と言うのです。後に調べたところ、その機械は名の通ったメーカー製の分析器ではあるのですが、ごく微量の、ほとんどゼロに近いような数値の放射性物質を測ることには適していないものでした。

でも、機械というのはどんなに問題のある調べ方であっても、数字を出してくるんですね。そして時として、その数字は一人歩きしていきます。

結果、彼らは大々的に「南相馬市の子どもの尿からセシウムが検出された」という記者会見を開き、これが2011年11月にNHKを筆頭として大きく報じられることになります。病院側は、内部被ばくをどう調べるかについて頭を悩ませた結果、分析に応じたのでしょうが、発表されてみると今度は「この結果は果たして正しい結果なのか、データをどう見たらよいのか分からない」と混乱してしまった。それで、僕に相談したいとメールをくれたのが、南相馬市立総合病院に応援で入っていた坪倉正治先生でした。彼は当時、東大医学系研究科の大学院生で、震災以降は浜通りで医療支援をしており、今では福島県立医科大学の教授となって、地域医療の現場とアカデミズムを往復しながら精力的に活動を続けているドクターです。

彼はすぐに上京してきて、その日の夜遅くまで話をしました。そこで彼は、病院には2台のホールボディカウンターが入っていて、そこでも内部被ばくを測っていると言います。「一度、現場を見なければいけないね」という話になり、僕は南相馬に行くことになりました。実は僕が福島へ行くのはこの時が初めてでした。

ホールボディカウンターとは、体をスキャンして、体内の放射性物質の量を測るという装置です。福島へ着くと、最初に僕は福島県立医科大学の医師、宮崎真《まこと》先生にお会いしました。これも大事な出会いとなります。実は僕と宮崎先生は2011年の8月からメールでやり取りをしていて、この南相馬市にあるホールボディカウンターのうち、椅子型の1台がとてつもなく不思議なデータを出していることについて、これはいったいどういうことでしょうねとすでに議論をしていました。彼がその解析を担当していたのですが、これは本当に内部被ばくを測っているんでしょうか、という相談のメールをいただいていたんです。

僕は、たぶんこれは何らかの原因で、内部被ばくとは別の放射性物質を拾っているんじゃないかと思いました。この地球に存在する放射線には、いくつかの種類があります。まず、宇宙から降り注ぐ宇宙線や、花崗岩などの地面から発するものを含めた「自然放射線」というものが、地球のさまざまなところにあります。それとは別に、今回のような原発事故や核実験が起きると、放射性物質が放出され、大気や地表が汚染されて、付着した放射性物質は除染をしない限り、放射線を発し続ける。こうした環境で測る際に重要なのは、測りたいものを明確にして、それ以外のものが混じってこないように遮蔽することです。そうしないと、内部被ばくを測りたいのに、体内に取り込まれた放射性物質だけでなく空気中の汚染や自然放射線まで拾ってしまい、正確な値にならないということが起こります。

坪倉先生の車で福島市から南相馬市立総合病院に到着し、集まっていたデータを見ると、みんなとてつもない数値が出ています。

これはどういうことなのか、うーんと考え込みます。いろいろと議論をしていると、検査を担当している放射線技師の方が、おもしろいことを言い出しました。「気のせいかもしれないけど、もしかすると数値の出方は、その人の体重が関係しているかもしれない」。体重が多い人は出にくく、スリムな人だと出やすい傾向があるような気がすると言うんです。これは、すごい着眼点でした。内部被ばくの量は、放射性物質を多く含む食材を食べたかどうかによって決まるため、体重や体型とは関係するわけがない。それなのに、数値に関係しているとするならば、それは何らかの理由で、内部被ばくとは別の汚染源を計測している可能性があるということです。

僕は坪倉先生に、「スペクトルはありますか」と聞きました。スペクトルとは、放射性物質が発する放射線を測定器で検出し、そのエネルギーを横軸に、検出頻度を縦軸にとってグラフに表したものです。お医者さんや放射線技師は、数値のデータは見ていたけれど、そのデータを物質のスペクトルからは見ていなかった。物理学者の僕はむしろ、物質のスペクトルを分析する訓練をずっとやってきたので、それを見れば原因は分かると思いました。

院長先生を交えて相談した結果、僕は匿名化されたスペクトルデータの分析を依頼されます。こうして僕は、県内の病院や公共施設、民間も含めたさまざまな場所に入っていた各メーカー製のホールボディカウンターを、すべて生のスペクトルデータから見るようになり、「これはちゃんと測れていそう」「これはまったくだめだ」「これはどういう理由で測れていないのか」などが分かるようになっていきました。

２０１１年の暮れには、もっと大きな出来事もありました。福島市のとある市民団体は、ホールボディカウンターを使って希望者の計測をおこなっていたんですが、その結果、「ほぼ全員が相当な内部被ばくをしている」という結果を発表しようと準備していたんです。僕は彼らの測定所を見に行き、その話を聞いて驚愕しました。すでに南相馬市立総合病院と一緒にデータ解析を始めていた僕は、全員がそれだけの内部被ばくをしているなんてことはあり得ないと断言できました。

「それは計測がおかしい」と、その場で即答しました。僕が県内のさまざまなホールボディカウンターを確認した結果、分かってきたことを説明し、「このようなデータが出た原因を究明して必ず結果を伝えるので、それまで発表は待ってほしい」と頼みました。彼らは県民が相当な内部被ばくをしていると示す彼らの測定結果を信じていましたが、それでもちゃんと現場まで足を運べば、耳を傾けてくれるんですね。分析のためにスペクトルデータを預からせて欲しいとお願いしたところ、なにが間違っているか教えてくれると、匿名化されたデータを提供してくれました。よくデータを見せてくれたと思います。

後日、分析の結果が出たと連絡したところ、この市民団体の担当者はお正月早々にもかかわらず、わざわざ東大の僕の研究室までやってきてくれました。これも、すごいことです。

そこで僕が話したのは、南相馬市のデータでも同じことが起きていたのですが、「校正」の問題です。これはスペクトルを分析しなければ分からないことでした。

例えば、体重計に乗るときに、僕たちは誰も乗っていない状態で0になっていることを確認します。ところがホールボディカウンターという機械は、人が入っていない時も、建物の外が汚染されていたりすると、外からの放射線を拾って内部被ばくとして数えてしまうんです。そのため、人が入ったときに、人体が外部の放射線を遮蔽する効果と、人体から出ている放射線の値を上手に差し引きして計測できるよう、最初に0の設定をすることが必要です。この作業が「校正」です。彼らの測定所では、この差し引きをきちんとできておらず、外の放射線を人体から出ているものとして計測していました。

ホールボディカウンターを使う際には、最初に校正用の「ファントム」という、人間の形をしたプラスチックの塊を入れて、0の設定をすることが必要です。放射線源が入ったファントムと、入っていないファントムを入れて、バックグラウンドを計測してから、人が入って計測しなければいけません。すぐにメーカーに連絡して校正用のファントムを取り寄せるよう、伝えました。

その後、彼らは製造元のベラルーシから線源の入っていないプラスチックのファントムを取り寄せました。それで測った結果、一発目で「内部被ばくしています」というデータが出た。放射性物質の入っていないプラスチックの人形を入れたのに、数値が0にならないということは、設定がおかしいということです。

あのとき、もしあのまま「福島市の市民団体が測った結果、ほぼ全員が内部被ばく」という報道が流れていたら、ものすごいインパクトをもたらし、取り返しのつかない事態になっていたかもしれません。ちゃんと話を聞いていただき、とても感謝しています。

その頃になると、僕は事実上、福島県内にあるほぼすべてのホールボディカウンターのデータを分析するようになり、機器の特徴や計測方法の不備まで分かるようになりました。そこで、県内で測った3万人分のデータをまとめて論文を書き、査読もつけて発表することにしました。測定した結果を論文にまとめるのは、科学の基本です。僕としては、科学者として、正しいことを伝える必要があるという思いがありました。ここでいう「正しいこと」とは、憶測ではなく科学的なデータが集まっていて、そのデータから言えるのはこうだ、ということです。

事故後の汚染地図やチェルノブイリ原発事故時の報告書を根拠として、世界中の専門家は「福島の人はみんな、5ミリシーベルト程度の内部被ばくをしているだろう」と思っていました。実際、外国人のいる場で講演をすると、必ず福島の内部被ばくについて質問されますが、その度に、実測にもとづく現状──年間1ミリシーベルトも内部被ばくしているような人はいない、それどころか、ほとんどの人が検出限界未満であるということを、きちんと伝えてきました。だから、とにかくチェルノブイリでの知見をそのまま福島に当てはめてはいけないという事実を、科学的な手続きにのっとって論文にする必要があると思ったのです。

2013年には国連の科学委員会が福島第一原発事故に関するレポートをまとめることが予定されていましたが、2012年末の時点で、レポートの材料となるべき査読付きの論文はまったく出ていませんでした。つまり、事故の当事国である日本の科学者が、レポートの根拠を提出していないということになるわけです。後世まで残る国連のレポートが、福島で計測したホールボディカウンターのデータを反映しないまま発表されてしまう。多くの人が関心をもつ内部被ばくの問題について、実測の結果でなく、それよりはるかに高い推定値が記載されてしまうことは避けなければならないと思い、僕は科学者の仕事として、論文をまとめることにしました。

作成にあたっては、坪倉先生らにもかなり協力してもらい、２０１３年の春に論文を出すことができました。２０１２年には米の全量全袋検査も始まり、基準値超えが約１０００万袋中71袋しかなかったこともあり、この頃になると「内部被ばくの問題については勝負がついた」と、データを見ている現場の多くの人たちが認識するようになりました。

当時、僕らが考えていたのは、福島に暮らしている人のクオリティ・オブ・ライフ（ＱＯＬ）の問題でした。特に山間部へ行ったときに思いましたが、彼らの生活においてとっても大事なのは、季節の山菜や山の恵みを食べることなんです。こういう人の中には、体内から１０００ベクレルくらい出る人もいます。大体が裏山のきのこを食べたり、イノシシ肉をこっそり食べたりした人です。僕は医師ではないので、「健康影響」を聞かれても答えないようにしていましたが、現地で生活している人から面と向かって尋ねられた時になにも回答しないというのは、それはそれで不誠実だと感じていました。山菜は当時、汚染の影響がもっとも顕著な食べ物でした。山に放射性物質が降り注いでしまい、彼らの生活は根底からめちゃくちゃになってしまったんです。

現実に、地元のものを食べたいという人がいる。米の汚染はほとんどない。実測しても、内部被ばくはほぼない。そこでよく使ったのが、地元の食文化のなかで育った現場の先生方が発想した、「5万円が入った財布」という例えでした。内部被ばくを年間1ミリシーベルト以内に抑えるとして、1ミリシーベルトというと、食べ物に含まれる当時の放射性物質の量に換算してだいたい5万ベクレルになります。それを、1年間に5万円までしか使えない財布と捉えるのです。仮に、主食のお米が全量全袋検査の基準値ぎりぎりの100Bq／kgまで汚染されていたとして、それを毎日毎食食べ続けたとしても年間に5000ベクレル分以上食べることは不可能なので、とりあえず5000円はお米で使ったとします。そうすると、あとの4万5000円は財布に残っていて、これを何に使うのか。もちろん、食べないに越したことはないという立場もあるので、そういう人は4万5000円残せばいい。一方、現地に暮らして、そのままの食文化をできるだけ守りたいという人たち、それこそ山のきのこや山菜を食べる習慣の人たちにたいしては、どのくらい厳しく言うかが問題になります。

当然、そういう食べ物を市場に流通させたり、人にあげたり、勧めたりするのはダメですが、本人が自分で分かっていて食べるんだといった場合、どうするか。ただでさえ、震災、津波、原発事故という三重苦を受けてストレスのかかる生活を強いられているなかで、山菜を食べるのもダメ、きのこもダメ、もう食べたいものは食べられません、と言うのか。それを食べたところでせいぜい財布の中から1000円分なくなるぐらいであれば、積極的にお墨付きを与えないまでも、何回か食べる分にはいいとするか。実際に「昨日、いのはなご飯（福島で食されている香茸の炊き込みご飯）を食べたんだけど出るかね」とにこにこしながらホールボディカウンターにやってきた人が計測して、「大して出ないもんだね」と言いながら帰っていったこともありましたが、本当にその程度では大して出ません。

決してオススメできることではないけれど、彼らの生活を根底から否定しなければならないほどダメなのかというと、目くじらを立てることで失われるものも大きいと考えてしまうのです。

僕が福島でやってきたことは、実験分野の科学者の基本です。理論的に予測されている問題について、実際に手を動かして、データを計測しようというのが、実験の人間が最初に考えることです。データがあれば、理論がどこまで正しいか、あるいはどこかで間違っているのか、検証できる。当時は、まず行動することが大事でした。測らなければ分からないけれど、誰も測っていなかった。だから、自分で動いてデータを確かめ、論文にする。そのプロセスは、これまでアメリカ、カナダ、スイスでやってきたこととなんら変わりません。そして、論文の内容に批判がある人は、それを自分自身で科学的に検証し、論文にするしかないのです。それが科学です。

初期は特に、あれこれ言うよりも手を動かすことが大事なフェーズだったと思います。

〝科学的に意味がない調査〟をする社会的意味

ひとつ関わると、また次の問題が出てくるものです。これも当時よく言われていたのが、「赤ちゃんはどうなんだ」という問題でした。僕らも乳幼児をホールボディカウンターで計測しようと、あれこれ試行したのですが、もともと大人用に作られた装置では、赤ちゃんをきちんと測定するのは無理だったのです。

2013年の2月に福島県庁で県議会議員の勉強会というのに呼ばれて、福島の現状や生活するうえでの問題点、問題がない点を話したあとに、僕はある会社の営業職の方から「お久しぶりです」と呼び止められました。僕はすっかり忘れていたのですが、「CERNで会ったことがある」と言うんです。そこで話が始まり、その人は今、ホールボディカウンターを福島県内に納める仕事をしていることが分かりました。

「弊社では子ども用のホールボディカウンターというのも一応検討したんです」と、その人は言います。曰く「技術的にはこんな感じでできるかなと言ってスケッチも描いていたんですが、ＪＡＥＡや福島県に話をもっていっても、『そんなものはいらん』と言われ、プロジェクトとしてはポシャッたんです」と。

僕は以前から、県内の病院を中心に「乳幼児を測れるようにしてほしい」というニーズがあることは聞いていました。そこで僕がいつも言っていたのは、「科学的には必要ない」ということだったんです。なぜなら、両親や同居している家族を測定すればそれで事足りる。いつも一緒にいるお母さんが被ばくしていないのに、赤ちゃんだけ被ばくしているというシチュエーションは、まずありえないからです。「子どもが小さくて測れないいんだったら、お母さんを測って、それで納得してもらうように努力をするしかない」と言っても、「それではお母さんは納得しません。『私はいいから子どもを測ってください』とみんな必死で言うんです」と反論されていました。

その話を思い出したので、その人に「以前から、そういう装置があれば絶対に欲しいと言っている病院があるんですが、作ってくれますか？」と聞くと、「作ります」と言う。その日のうちに、福島県のひらた中央病院に話をしました。この会社は作れる見通しがあるようですが、どうしますか、ただし１台数千万円かかるそうですと。理事長は「出します」と答えました。

でも、このままでは難しいと思ったのも事実です。まず、外観が悪すぎる。どうみても「鉄の棺桶」にしか見えないし、僕はこれに自分の子どもを入れたいという母親や父親の姿を想像できませんでした。特注で作る場合でも、デザインの変更は絶対に必要だろうと思いました。

そこで、ツイッターでフォローしあっていたデザイナーの山中俊治さんに、コンタクトを取りました。山中さんは「詳しく教えてほしい」とすぐに返事をくれて、ＯＫしてくれました。大人なら無機質な機械でも数分間我慢して入っていられますが、相手は赤ちゃんや小さな子どもです。それをお母さんが見守るのですから、デザインは重要です。デザインスタジオで、山中さんとコンセプトデザインを固めます。まず10分の1模型を作り、そのあと木で実物大の模型を作って、スタッフの子どもを連れてきて、4分間おとなしく寝ていられるか実験をしました。小さい子どもの場合、大人よりも厳密に測らないと誤差が大きくなってしまいます。内蔵する検出器の数を大人の倍にして検出限界を下げ、検査時間も倍の4分にして測定感度を上げ……と、設計していきます。

めでたく完成したホールボディカウンターは「ベビースキャン」と名づけ、ひらた中央病院に納入した後、２０１４年の終わりまでに2号機をいわき市内の病院、3号機を南相馬市立総合病院に納入しました。新生児から小学6年生まで測れるこの機器で、まず３０００人近くの子どもや赤ちゃんを計測した結果、全員がＮＤ（検出限界値未満）でした。検出限界値は50ベクレルですが、実質的には30ベクレルくらいまで検出できるほどの精度がありますので、世界最高レベルです。

僕からすると、この数字は驚くことでもなんでもなく、すべて想定どおりです。なぜなら、子どもを測っても出ないことは、大人を測ってきた結果から十分に推測できたからです。何事もまず測ってみるという実験家の僕でも、「必要ない」と言える機械でした。僕は、この機械の完成を知らせる最初の記者会見でも、「科学的にはいらない」とはっきり言っています。では、なぜ導入に向けていろいろな人やメーカーに動いてもらい、お金をかけて作ってもらったかといえば、たとえ最初から結果が分かっていたとしても、「社会にとって、『科学的な正しさ』はひとつの物差しに過ぎない」ということが、福島の人びとと接する中で分かったからです。

科学的には無意味でも、社会的には意味があるというものがある。それがベビースキャンです。実際に計測をして、初めて納得できるということは多いのです。これは、２０１５年以降は約１０００万袋中、基準値超えゼロが続いているお米の全量全袋検査にしても同様だったと思います。

科学的に必要のないベビースキャンは、コミュニケーションの道具であり、社会を円滑に回すためのツールです。子どもを検査に連れてくる親御さんが何に不安を感じているかを、これをきっかけに問診の中で聞くことができるようになりました。

「水道水を使ってもいいですか？」

「お米はどうでしょうか」

「離乳食は、母乳は安心ですか？」

それにちゃんとお医者さんが答えると、大きな安心材料になります。もしもこの機械がなかったら、そうしたコミュニケーションのチャンスがなかったかもしれません。科学的な正しさだけが全てではない。これは、科学の世界にいる人たちほど知っておかなければいけない原則です。

僕が特に大切にしてきたのは、英語の論文を書くこと、それも査読付きの論文を書くことでした。２０１５年3月までに測った3つのベビースキャンの結果が全員ＮＤだったという結果も、論文にしています。その後も坪倉先生は南相馬で内部被ばくの計測を続けていて、その結果も論文という形でまとめていますが、これも「ひたすら測り続けていても、出ません」という内容です。科学者の基本は、結果を論文に書くことです。しかも英語で書くことで、それは国際的に共有されるデータになるのです。

論文といえば、僕は、自分も共著者になった論文について、内容の間違いを指摘されました。伊達市から提供を受けた市民の計測データについて、分析の計算式に誤りがあり、さらにデータが市民の許可を得ずに提供されていたという指摘を受けたのです。このことについて、僕が「伊達市民の計測データを不正に入手した」「伊達市民の被ばく量を過小評価した」とする疑惑がかけられ、新聞各紙に「市内に70年間住み続けた場合の累積線量を3分の1に過小評価した」と報じられました。

この論文は、これまでは空間線量をベースに住民の外部被ばく量が試算されていたのですが、実際にひとりひとりが計測用のガラスバッジと呼ばれる個人線量計をつけて測った実測データに基づけば、空間線量ベースの試算は過剰になる、というものです。つまり、空間線量で試算することの意義を問うものでした。人は住宅の中にいたり、会社にいったり、働いたり……常に移動し、同じ場所にじっとしていないので、空間線量から推計するのでは誤差が大きいのです。

伊達市から市民の同意を得ないデータを渡されていたという問題については、僕は前市長時代にデータの提供を受け、それを当然、適切なデータと認識していました。しかし市長選後、新しい市長になると、「データ提供は住民の同意を得ていない」という指摘がなされたのです。データの入手に関する問題については、関係している皆さん、伊達市民にお詫びしたいと思います。

また、数値の誤りについてですが、これは単純に僕が組んだ計算式のミスです。論文執筆時の所属である東京大学にも、詳しい説明をし、納得していただきました。累積線量を3分の1に計算し間違えていたという当時の報道は、この問題についての調査が終わった今から言えば、正しくありません。線量計には3ヶ月分の放射線量がミリシーベルトで記録されていたため、ここからマイクロシーベルト毎時の線量を求めるには、「÷3（ヶ月）÷約30・5（日）÷24（時間）×1000（マイクロシーベルト）」＝約0・455倍する必要があります。論文では、その計算をした後に70年間の累積を求めたのですが、その際僕が書いた計算用のプログラムのソースコードにミスがあり、先ほどの反対の計算、つまり「×3×約30・5×24÷1000」＝約2・2倍する計算が抜けてしまっていたのです。正しいソースコードに直せば正しい結果が出ることは、後の検証で明らかになっています。計算の誤りはあってはならないことですが、論文の主な結論を述べている図には誤りがないため、正しい計算式に直した場合でも論文の結論は大きく変わりません。ミスの経緯を説明した際、大学の調査委員の皆さんは苦笑しながら「君もこんなミスをするんだね」と言いました。僕も人間ですから、ミスをするのです。

計算結果を直して論文を修正するには、もう一度同じデータを提供していただく必要があります。しかし、データをいただくことはできませんでした。論文は撤回せざるを得ませんでした。

ここで明言しておきたいのは、僕に意図的なデータ改ざんなどの研究不正はなかったということです。これは大学側の調査でも認定されています。もうひとつ付け加えると、仮に僕が研究不正に手を染めてまで、より福島を安全である、伊達市が安全であると印象付けたい意図があったとするならば、こんな単純な計算ミスをするメリットはどこにもないということです。

僕はこの本で、科学とは常に間違える可能性があり、間違っていることを検証し、指摘をすることで進歩するプロセスだと書いてきました。しかし、わざと間違えたデータを出しても科学の進歩はありません。そのようなことは、僕は断じてしません。

通常、論文を発表した後に内容の不備や間違いが見つかった場合は、論文が掲載された雑誌と執筆者の間でやりとりをして、修正するなり、撤回するなりといったプロセスを辿ります。現に今回の論文についても、僕は雑誌とのやりとりをしていましたが、論文の誤りを指摘した人は、この件について大々的に記者会見を開きました。「このままでは早野さんがわざと不正をして、〝福島が本当は危険なのに安全だと見せかけようとしている〟と誤解されてしまう。早野さんも記者会見を開いたほうがいい」と多くの人に言われましたが、「論文についてのやりとりは論文上でおこなうものだ」というのが僕の科学者としての姿勢です。科学とは別の土俵に、上がるつもりはないのです。

学校教育だからできること——福島高校の授業から

僕と福島の関わりでいえば、福島高校の生徒たちとの関わりも、とても大事なものでした。今までの仕事は「原発事故で受けたダメージをゼロに戻すための仕事」ですが、これは高校生の未来を切り開く仕事、つまり「ゼロから1へと踏み出す仕事」です。

福島高校は県内屈指の進学校で、文科省からスーパーサイエンスハイスクールにも認定されている、理科教育に力を入れている学校です。ツイッターを介して知り合った先生から頼まれて、2013年から特別講演や授業をやっています。僕がいつも強調していたのは、「ノーブレスオブリージュ」(持てる者の責任)ということでした。

今、進学校へ通う子どもというのは、社会資源にしても、親の教育にしても、非常に高度なものを与えられています。良いか悪いかは別にして、現実にそうなっている。そんな彼らに、「君たちは恵まれた立場にいて、恵まれた選択をできる。その力やチャンスを何に使うか、考えてほしい」と思って話をしてきました。僕のスタイルは〝チャンスは与えるが、あとはそれを受け取った生徒たちが自分で考えてほしい〟というものです。

最初のビッグプロジェクトは——といっても、引率の僕プラス生徒が３人ですが、２０１４年の春に、高校生たちをＣＥＲＮに連れて行ったことです。渡航費はなんとか捻出し、そのための書類も大量に書いたのですが、それはさておき……。

事の経緯はこうです。もともと、ＣＥＲＮでフランスなどヨーロッパ各地の高校生たちによる、放射線防護をテーマとした研究発表会が予定されていたのですが、せっかくなら福島の高校生も参加したらどうかと現地の主催者側からオファーがありました。僕は、行かないのはもったいない、僕が引率して、お金もなんとかします、と言って、参加することを決めました。生徒たちは現地の高校生たちとのビデオ会議でも本当に熱心に英語でやりとりしているし、これは問題ないだろうと思ったんです。

ジュネーヴに行ってみると、ヨーロッパ各地から集まった高校生の反応は「えっ、福島に人は住んでいるの？」「本当に福島から来たの？」「近づいちゃダメなエリアなんだろ？」というものでした。生徒たちには酷だったと思いますが、これが世界の現実です。日本や福島にいる限りは分からないけれど、世界はどう見ているかを肌で経験することになりました。そんな環境の中で、彼らは福島の内部被ばく、外部被ばくの調査結果を発表したんです。詰めて座れば200人は入るような大きな部屋で、あわせて10分くらいのスピーチをして、質疑応答、それから別枠でのポスター発表をしました。

基本的なテーマは、当初の仮説が外れて、驚くほど内部被ばくは少ないということ。そして、僕たちは福島からやってきたという話です。日本の常識が通用しない空間で、彼らは本当によく頑張ったと思いました。帰国後に彼らは、スーパーサイエンスハイスクールを中心とする全国や海外の高校生たちに呼びかけて、外部被ばくを測定してもらうというプロジェクトを立ち上げました。もちろん、高校生は3年間で卒業していくので、仕上げは次の世代に託すことになります。

その結果に行く前に、もうひとつだけ福島の現実を記しておきましょう。これは、彼らとの交流も深まってきた2015年6月のことです。僕が全校生徒への講演をした時の話ですが、そこで、生徒たちにいくつか質問をしたんです。福島高校の理系教育のレベルの高さについては、すでに書いてきた通りです。目を閉じて、周りを見ないで手をあげてください、と僕は呼びかけました。最初に聞いたのは、家で福島産の食材を買うかどうかです。買わないという家は1〜2割くらいでした。次は外部被ばく線量が高くて不安かどうか。これはさすがに少なかった。5%いるかどうかでした。

次に、自分の子どもを産めるか不安か、と聞くと、10％くらい手があがりました。生徒たちの1割は、事故から4年たっても、まだ不安だというんです。これだけ理系教育が充実している福島高校ですら、まだ1割は不安だと手をあげるというのが現実で、もしかしたら潜在的にはもっと多いかもしれないし、他の高校でも比率は同程度か、もっと高いかもしれない。

子どもを産めるかどうか、僕が生徒から聞かれたら、答えは躊躇なく「イエス」です。問題なく産める、と即答します。そんな不安をいまでも子どもたちに持たせていること自体が、罪深いことだと思っています。

僕は科学者として、データを集め、それを公表し、高校生と一緒にプロジェクトを進めてきましたが、いつも大事にしてきたのは、「いま福島に生まれたことを後悔する必要はどこにもない」ということです。データがなければそんなことは言えませんが、すでにデータは出揃っています。原発事故後の福島で人々が生活している地域よりも、自然放射線の量が多い地域は世界にいくらでもあります。現に、福島高校の生徒が行った前述のプロジェクトでは、フランスのコルシカ島の高校生のほうが福島より高い数値を持ってきました。フランスには花崗岩の地盤があるからです。当然、自然放射線と人工の放射線で、人体に与える影響は同じですから、今の福島で人びとが生活している場所は、外部被ばくにおいても内部被ばくにおいても、日本の他の地域や世界各国と比べて、まったく問題ないのです。

これは、データを見て、自信を持って言えることです。それなのに、これだけ不安だという生徒が残っている。

広島、長崎の「被爆者」を対象とした疫学調査が、その後の日本の放射線防護の知見にどれだけ生かされているか、その重みを受け止めなければいけないと僕は思います。僕は日本に生まれた科学者ですから、日本の戦前の科学者、戦後の科学者たちが何を原点としてきたかをよく知っています。広島と長崎の経験は、間違いなく戦後の原点です。将来にわたって、福島の子どもたちが結婚や出産をするときに、被ばくの影響が出ることはない。これが、広島と長崎の経験から分かっていることです。福島を安全だと言いたくない、そんな言葉を聞きたくないという人はたくさんいますが、彼らは高校生のこういう質問になんと答えるのでしょうか。どんなデータで？　子どもたちは日々の生活に向き合っていて、真剣に悩んで手をあげている。この事実はとても重いと思うのです。

さて、福島高校の生徒が中心になって立ち上げた外部被ばくの比較プロジェクトに話を戻しましょう。このプロジェクトの結果は、海外の参加高校も含めた生徒216人全員を筆者とする論文にまとまり、専門誌に掲載された他、オンライン版は無料で公開しました。かなり異例のプロジェクトになりましたが、さらに異例のことに、オンライン版は２０２０年の時点で、全世界で10万ダウンロードを超えています。学術論文で10万回もダウンロードされるのは、とても珍しいことです。有名な学者ならともかく、筆者は高校生。これはすごいことで、生徒たちは誇っていいことです。

研究概要はこうです。調査に参加した福島県内６校、県外６校、フランス４校、ポーランド８校、ベラルーシ２校の計２１６人には、２０１４年６～12月の期間中、原則として２週間、線量計をつけて生活してもらいました。それに加えて、どこにいたかの日誌もつけてもらい、データの正確性を高めました。得られたデータをもとに、年間の被ばく線量を求めると、どこの都市でも差はごくわずかでしかなかったのです。計測している集団の真ん中にあたる中央値で比較すると、福島県内では０・63～０・97ミリシーベルト、県外では０・55～０・87ミリシーベルト、海外では０・51～１・１ミリシーベルトでした。

この論文への僕のスタンスは明確で、手伝うのは論文の英訳だけ。基本はすべて生徒たちに委ねました。研究計画、どうやってプロジェクトを動かすか、誰に協力を依頼するかも含めて、生徒たちにすべて考えてもらったんです。ちなみにこの論文は、査読付きです。専門誌掲載に際して、査読者からは「なぜ２週間の記録で、年間の被ばく量に換算できるのか」という質問が飛んできました。僕がやったのは、「日本語でいいから、回答を考えてほしい」と彼らに言うことだけです。回答を英語に翻訳するのは僕が手伝うけれど、その内容を手取り足取り教えることはしませんでした。

期待を込めて言いますが、論文掲載にあたってのハードルで、彼らが乗り越えられないものはありません。自分たちの得たデータ、考えに自信を持ってほしいと思っていたので、僕は何もやりませんでした。掲載のチャンスは与えたし、プロジェクトを進めるチャンスも与えています。あとは、彼ら自身で結果を摑み取ってほしいと思ったのです。しばらくして、日本語で回答がきました。

「データをとった2週間は、朝起きて、登校し、授業を受けて下校するという高校生の基本的な生活を送っているときに計測したもの。1年間で換算しても問題はない」

素晴らしい回答だと思いました。科学のバトンはこうして受け継がれていきます。チャンスを与えれば、福島の高校生だろうが、どこの高校生だろうが、自分たちで考え、自分たちで妥当な回答を見出すのです。

日本では、答えを与えることを教育だと考えてしまう悪癖があります。これは科学とは相容れない考えです。教育で一番大事なのは、チャンスを与えることです。それも良質なチャンスを与えること。僕は、僕の指導教授である山崎先生のやり方を、東大でも、福島高校でも引き継ぎ、実践してきました。彼が僕に素晴らしいチャンスを与えてくれたのと同じように、僕も若い世代と接してきた。そして、先生が僕の仕事をいつも楽しんで見てくれたように、僕は高校生たちと一緒にプロジェクトを進めている間、自分自身もおもしろがっていたし、とても楽しく一緒の時間を過ごしました。そして、彼らはチャンスをものにしていった。

彼らはこんなことを言ってくれました。

「論文執筆を通して学んだことがあります。計測の結果、もしも線量が高かったとしても、私たちはそれを公表していたと思います。データは計測するだけでなく、公表して、みんなで考える。リスクがあれば、それを回避する方法を考えればいい。客観的な根拠と事実に基づいて、判断することが大事だということが分かりました」

その時、僕は59歳だった

２０１１年に原発事故が起こった時点で、もしも僕が10歳若い49歳だったとしたら、福島には関わっていませんでした。これははっきり言いますが、研究者として、もうひと仕事できる年齢だからです。その年齢でもしも「福島を取るか、ノーベル賞を目指せる研究を取るか」と問われたら、間違いなく後者を選択していたと思います。結果としてノーベル賞を取れるか、取れないかは別にしても、挑戦はしたいと思ったでしょう。

これまでも書いてきたように、僕の研究分野は、今日やろうと思って、明日結果が出るというものではありません。数年の計画で動かして、それでも結果が出るかどうかは分からない。多分に運も必要で、僕の世代では分からないことが、次の世代には分かるかもしれないという性質のものです。

CERNにはそれだけの資源もあるし、ASACUSAの後続プロジェクトであるELENAにはその可能性もあると思います。でも僕は、当時59歳でした。もう十分にやってきたし、引き継ぎを視野にいれなければいけない年に差し掛かっていました。ここであと10年、福島に関わらないで研究者をやろうとは思わなかったのです。もし50代に差し掛かろうという頃の僕だったら、「科学的に意味がない、しかし社会的には意味があるプロジェクト」というのも理解できず、時間も労力も割くことはしなかったでしょう。でも僕はこれまで、皆さんが納税したお金を使って、自由に研究をやってきました。それも、何の役にも立たないかもしれない研究をやってきたんです。原発事故が起こり、今こそが社会に還元する時だと思いました。

僕の活動には、ふたつの自由が何よりも大切でした。ひとつは「学問の自由」です。東大に所属していて、ＣＥＲＮの研究をやっている教授が、福島でも活動をすることができたということは、学問の自由なくしてはあり得ません。あれをやれ、これをやれと命じられることなく、自分の良心に従って研究を進められたのは、学問の自由あってこそでした。

それに加えて、福島についてはさらに「経済の自由」も大事でした。南相馬市の給食を僕のポケットマネーで計測すると言ったとき、ツイッターのフォロワーは僕の活動を支援しようと寄付をはじめてくれました。僕が東大を65歳で定年退職した２０１７年３月までに、集まった寄付の総額は約２２００万円です。なんの紐付きでもない寄付金で、僕の福島での活動はすべてまかなわれました。海外で福島の現状を伝える講演も、数多く行うことができました。自由な活動を続けられたのは、フォロワーのみなさんのおかげでもあったのです。

紆余曲折を経て、最後は福島に関わりながら学者生活を終えることができました。これも自分の巡り合わせだと思うし、科学者としての知見を福島で活かすことができたのは、幸運なことでもありました。

第6章　科学者の「仕事」——東京

ヴァイオリン修業、再び

大学を定年になる時期が近づいてくると、さぁいよいよ次をどうしようかと考えるようになります。僕の中には、別の大学へ移って研究を続けるという選択肢はありませんでした。定年後のよくあるキャリアのパターンには、例えば私立の大学に移って、数年フルタイムで教えて……というものがあります。紙とペンがあればどこまでも新しい研究を続けられる理論の先生ならそれでいいと思いますが、僕がやってきた実験系の研究は、基本的に機械を動かさなければならず、とくに自分のイニシアチブでなにかをやるためには、自分の研究室である程度の予算を確保している必要があります。

定年が近づくと、今まで当たり前のようにできていたことが、制度上できなくなっていきます。まず、研究室に大学院生をとることができなくなります。これは東大のローカルルールですが、大学を辞める2年前からは、新規で院生をとることができません。少なくとも2年間は面倒を見て修士までは責任を持って修了させなさい、ということでしょう。もちろん研究費の申請はできますが、それまでグループを抱えてやっていたような大きな研究の場合は、「あなたは新しい学生がいないのに、申請してどうするんですか」という指摘が入ります。それで、割と早い段階から、僕はもう続けないと決めたのです。

グループリーダーをやめる準備を進めていた頃に打診を受けたのが、音楽教室スズキ・メソードの会長職でした。正式には退職前の２０１６年8月から就任することになりますが、最初に声をかけられたときに思ったのは、「あれ、僕はヴァイオリンをやめてだいぶ経つけど、弾くことはできるんだっけ」ということでした。さすがに弾けなかったら恥ずかしいなと思ってヴァイオリンを手にしたところ、暗譜でけっこうなところまで弾けるんです。鈴木鎮一先生が当時教えていた「子ども時代の基礎」、それから「集中力」「練習を続ける力」というのはあらためてすごいものだ、と思わされました。

「音楽」と「教育」を科学したら？

僕の人生でおもしろいのは、初めて大学で教え子を持ったのが30代中頃で、年を重ねてから福島の高校生と接し、さらに年を重ねてから小学生やそれ以下の子どもと接するようになったということです。興味の範囲も、それに合わせて広がっていきました。

僕はスズキ・メソードのこれまでのトップと違って科学者なので、音楽教育について自分が考えていることにどれだけの根拠があるか、科学的な妥当性があるのかどうかを知りたくなって、まず幼児教育の研究書を読みました。僕の専門は物理学ですが、専門が違ってもある分野を知ろうと思ったときに最初にやるべきことは同じで、「評価の高い論文を読むこと」です。その際、学問の世界に共通するポイントは、取り上げられているデータの妥当性、データの検証が十分になされているかどうか、論文の論理が破綻していないか、表現に誇張がないか、他の研究との間に整合性があるか……。そして論文への批判が出ている場合は、批判する側の論文にも目を通して、どちらの言い分がより説得力があるかを検証していきます。

その中で、これはいいと思ったのが、ノーベル経済学賞を受賞したアメリカのジェームズ・ヘックマン先生による研究です。それは『幼児教育の経済学』という本にもまとまっていますが、彼の論旨はこうです。子どもの人生をその後40年くらい追跡調査して、どの段階の教育投資が一番人生に大きな影響があったかを検証した結果、結論は幼児期だった。高校受験や大学受験ではないということが明らかになったのです。

なぜ幼児期なのか。ヘックマン先生が力説するのは、まさに僕が鈴木鎮一先生から学んできたことでした。僕は幼稚園へは通わずに、家でヴァイオリンばかり弾いて過ごしていて、小学校入学の時点でひらがなも書けませんでした。一見すると、早く勉強を始めた方が良さそうですが、幼児期の教育で大事なことは「学校で学ぶことの先取り」ではありません。早く始めることによって、学校に入った時には差がついていたとしても、学校というのはそれなりによくできたシステムで、その差は高学年になれば消えてしまう。スタートで劣位だったとしても、数年のうちにその差は埋めることができてしまうのです。

幼児期の教育において、知識を埋め込むことに意味がないとするなら、何に意味があるのか。ヘックマン先生が明らかにしたのは、「非認知能力」の大切さです。この力を小さい時から育てていくことが、その先の人生にも大きな影響を与えていくと彼は言います。非認知能力というのは、日常的な言葉に言い換えるなら、「粘り強さ」とか「やり遂げる力」と言ってもいい。「どうせ自分はだめだ」と思ってしまわない力、簡単にあきらめない力が、特に幼児期の教育によって養われると言っています。

僕が子どものころに経験した音楽教育も同じで、当時鈴木先生に教わっていたのは、まさに非認知能力を伸ばすことだったと言えます。「人は環境の子である。子どもが育っていく中で、子どもにどのような環境を与えるかが大事だ」と彼はよく言っていましたが、結局、どんな子どもであっても環境次第で育つというのがスズキ・メソードの芯なのだと、あらためて気づかされました。

鈴木先生は「音楽家を育てたいのではなく、音楽を通じてよき市民を育てたい」という言い方をしていました。だから、僕がレッスンをやめると伝えたときも、引き留めなかった。子どもが育っていく過程で、音楽を通じて粘り強さや、何かをきちんとやり遂げる力を育てたいと考えていたのでしょうね。

今、スズキ・メソードでは、東京大学で言語と脳について研究をしている脳科学者の酒井邦嘉《くによし》さんと共同でチームを立ち上げ、「音楽と脳」についての研究をしています。鈴木先生は生前、「大阪の子どもは自然に大阪弁を話せるようになる。音楽もまず耳から聴くことが習得のカギだ」と言っていたとおり、音楽と言語の能力を直感的に似ているものだと考えていました。そのことにどこまで科学的に迫れるのか、研究してみようと思っています。科学者としては、鈴木先生が経験として語ってきたことを、ちゃんと検証してみたいのです。

酒井研究室との研究では、定期的にミーティングを開いて「次はどういう論文にしましょう」「次はどういうデータを取りましょう」という話をしていて、その過程で僕が知らない分野についても勉強しています。やっぱり違う分野に触れるのは、非常におもしろい。研究を進めるうちに、音楽の習得と脳の発達の関係についても、言えることが増えてきました。

早期教育論に思うこと――「モノになる」ではなく「人になる」

スズキ・メソードの会長になってから、よく親御さんから「どうでしょう。うちの子はものになりますか？」と聞かれます。そこで僕は、当時の鈴木先生の言葉にならって「モノになるのではなく、人になります」と答えています。３歳からヴァイオリンをやったからといって、プロになる人はごくごくわずかです。音大に進学するという人はもうちょっと多いかもしれないけれど、それでもわずかでしょう。

プロになるためにしか音楽をやる意味がないというのなら、それはごく限られた人たちのためのものになってしまいます。プロになるかどうかは結果であって、僕たちにとってもっとも大切なのは、努力していくプロセスです。それがなぜ重要かというと、非認知能力の話につながりますが、練習を通じて身につけた「努力する力」はいずれ音楽以外のもの、たとえば英語や数学でもなんでもいいのですが、それらを学ぶときにも必要な力になるからです。

アメリカの心理学者アンダース・エリクソンの『超一流になるのは才能か努力か？』によると、一流の音楽家やスポーツ選手などの高い能力を身につけた人が、生まれつきなのか、それとも努力でできるようになったのかを調べてみたら、みな例外なく努力をしていることが分かったんだそうです。例えば、一流のヴァイオリニストは幼少期からプロとしてデビューする18歳くらいまでの間に、だいたい1万時間くらい練習をしていて、この数字にはほぼ例外がないと書いています。彼らは努力の方法を知っているし、努力することが力になるということを知っているのです。

これが非認知能力の効果ですね。楽器を習得するには、必ず一定の練習を続けることが必要になります。プロにならないとしても、子どもの頃に努力を積み重ねて弾けるようになった成功体験を持っていることで、まったく未知の分野でも「どのくらいの練習をすれば、どのくらいまで習得できるか」を推し量れるようになります。

僕自身、例えばモーツァルトやバッハを弾くにしても、どれだけ練習すれば先生から褒めてもらえる演奏ができるか、自分も納得できるレベルに達するかを知っていました。

朝、昼、晩とヴァイオリンを持って練習するなかで、「楽をして何かを身につけることはできない」と子どもながらに分かっていて、どんな分野でもそれは同じだと気付くんです。

「自分には才能がないから何もできない」とか、「どうせ努力しても無駄になる」と最初から決めつけるのではなく、やり続けて自分なりの手応えを得るということを、音楽を通じて学ぶ。ここに意義があるんです。それなりにきちんと努力をする必要がある。でも、努力を積み重ねれば少しずつ進歩できる。これはどんな子どもでも同じです。自分にはできると信じられることが、僕は人間にとってとても大切なことだと考えています。

高校時代にヴァイオリンをやめて物理の世界に進んだ僕は、大学に入るとアインシュタインの論文や著書を手に取るようになり、そこに書かれている数式を読みながら「なぜこの人はこんな発想にいたったのか」「なぜこう考えたのか」「これって間違いじゃないか？」「いや、よく見ると間違っていない」……と、数式と対話をしながら、アインシュタインという人の知性や感性を感じ取っていきました。そして、もっと知りたい、さらにその先に新しいものを積み上げたいと思いました。そこからプロの科学者になるための努力が始まったのです。うまくいかなくて辛いこともありましたが、それでもまったくできないとは思わなかった。これも、音楽の経験があったからでしょう。

それから、これもよく親御さんたちに伝えていますが、肝心なのは「楽しい」ということです。小さな子どもにとって何時間も練習することはとても大変なことで、いくら親が厳しく「練習しなさい」と言ってもそうそう思い通りにはなりませんし、思い通りにやらせようとするのは間違っています。大事なのは、いかに楽しく楽器と向き合うか、子どもがやりたいと思う環境を作って親子ともに楽しんでいるかなのです。

音楽はすぐに何かの役に立つような実用的なものではありません。でも、これは音楽に限らず、習い事全般に言えることですが、最初に「何かのために」と思うのではなく、とにかく楽しむために時間を使ってほしいと思うんです。長い人生、すぐに役に立つことを追い求めているばかりでは世界は広がらないし、子どもが豊かな時間を送っているとは言えない。短期的な有用性を考えるよりも、豊かな時間を送ることが、巡り巡って人生のプラスに働くというのが、科学者としての僕が言えることです。

鈴木先生の有名な著書に『愛に生きる』という本があります。その中で鈴木先生は、〝音楽を教えることが一番の目的ではありません。私は立派な市民を作りたいのです〟という趣旨のことを繰り返し語っています。

では、立派な市民とは何でしょうか。僕なりに考えると、それはこの本のタイトルに表れていると思います。『愛に生きる』は、鈴木先生が自らの思いと能力を子どもたちのために活かし、子どもたちを育てていく記録なのですが、これは先生自身についてだけの記録ではありません。スズキ・メソードの教えを受けた人々が音楽を学び、あるいはそれを活かしていく目的は、最終的には「愛に生きる」ことなのではないかと思います。ひとりひとりが、その人なりに自分の与えられている場所で、自らの持てるリソース、つまり、有形無形の資産、資源、能力、知恵などを次世代に与えていく。そのためにできることを考える、ということですね。

その意味で、2011年3月に震災の影響で開催を取りやめ、その後も行っていなかった「スズキ・メソードグランドコンサート」を復活させることができたのは嬉しいことでした。2018年4月に開催したこのコンサートでは、当時の天皇皇后両陛下（現・上皇上皇后両陛下）ご臨席のもと、スズキで育ったプロから小さな子どもまで全員が合奏する「きらきら星」をプログラムの最後に演奏しました。

コロナ禍もあり、次回はいつ開催できるか不透明ですが、少なくとも技術の巧拙に関係なく、初歩の初歩をみんなで楽しく弾く、これが僕たちの方法である——ということをこのコンサートでは示すことができたと思います。

科学者、ほぼ日に入社する

楽しむと言えば、2017年になってから、まったく思いもよらないところから楽しい話がやってきました。六本木ヒルズでほぼ日が「生活のたのしみ展」というイベントを開いていると聞いて、ふらっと立ち寄ったところ、たまたま会場に社長の糸井重里さんがいて、彼とお茶を飲んでいたら唐突に、お話ししたいことがあるんだと切り出されました。

「早野さん、ほぼ日のフェローになりませんか」

「えっ？」

「前々から考えていたことなんです。ほぼ日に科学者がいるとおもしろいかなって」

これはおもしろい誘いだと思いました。実は糸井さんからはこれ以前にも「うちで歌舞伎を教えてみませんか」というオファーを受けていたのですが、その頃の僕はまだ研究プロジェクトも残っていて、スズキ・メソードの仕事も始まったばかりだったし、「冗談だろう」と思っていました。

糸井さんとは、原発事故後の僕の活動に彼が注目してくれたのが出会いとなって、ふたりで『知ろうとすること。』という本も出しましたが、普段からそこまで密接な付き合いをしてきたわけではありませんでした。そんななかで受けたオファーです。最初に出された条件は「月に3日くらい来てください」でしたが、いろいろと話を詰めていくうちに、ここでも僕にできることはたくさんあると思うようになりました。

糸井さんからの依頼は「具体的に何をしてほしい」というものではなく、僕としても科学者として会社にかかわることでどんなことができるか、やりながら考えるという形でスタートした仕事でした。入社したての僕の役割は、たとえば会議の資料に「12月1日発売予定」と書いてあると、「この『予定』ってなんですか？　ほぼ日が発売しないことってあるの？」と聞いたりして、みんなをドキッとさせること――つまり、内部の人には気づきにくくなっているようなことを、僕の視点から指摘する係だったのですが、後になるとシステム面のソリューションも発案するようになりました。ほぼ日は糸井さんの「ほぼ日刊イトイ新聞」というウェブサイトが元になった会社で、主にインターネットを使って生きているＩＴ企業だともいえますが、意外にもインターネットの技術に関しては不得意な部分もあって、僕が加わることで根本的なソリューションを与えることができたんです。

当時、新規事業として立ち上がっていた新しい地球儀「ほぼ日のアースボール」の開発にも携わりました。首都大学東京から東大に移った渡邉英徳《ひでのり》さんの研究室との共同研究・開発です。

「ほぼ日のアースボール」の特徴は、これまで地球儀といえば重い置物だったのを、空気で膨らませるビニールボール型にし、さらにスマホと連動させることでAR（拡張現実：現実の空間に情報を加える技術）のコンテンツを起動させられるようにしたことです。これが得意なのが渡邉さんたちです。彼らと一緒にマッピングコンテンツの研究・開発を進めることで、ほぼ日も大きなものを得られるだろうと思いました。

例えば、ジオビジュアライゼーション技術です。スマホをかざすと、「ほぼ日のアースボール」上に地形が立体的に現れます。それによって、ヒマラヤ山脈や、氷に覆われた南極大陸といったものが体感できる。これは、今までの地球儀ではまず表現できない地球の姿です。

ただの物体としての地球儀に、科学と渡邉研の技術というエッセンスを加えると、まったく新しい地球儀ができる。将来にはこれが契機となって、今の僕たちが思いもよらない地球儀の使い方を思いつく子どもたちも出てくるかもしれない。そういう挑戦に、やりがいを感じました。

僕が中心となったコンテンツ（連載記事）には、「〝オタク〟な研究者探訪シリーズ」

があります。ここには毎回、ノーベル賞学者から若手の有望株、偉大な数学者まで、いろいろな人に登場してもらっています。「偉大な数学者」というのは、大げさでもなんでもなく、日本人として史上3人目のフィールズ賞を１９９０年に受賞した森重文先生という数学者のことです。フィールズ賞とは、４年に一度、それも40歳以下の数学者しか受賞できない、とんでもなくレアな賞です。

僕の友人の物理学者は、京都大学の数学科で森先生と同級生だったのですが、森先生があまりに凄すぎて「こんな人がいるなら、僕はなにもできない」と1年生ですぐに京大を退学し、東大の物理に入り直してプロの物理学者になりました。この友人は数学が大好きで、周囲からも一目置かれるほど数学ができたし、本人も周囲も数学者になれると思っていたのですが、森先生のような天才に出会ったがために人生が変わってしまったんですね。

このコンテンツでは、森先生の話を聞いた結果、僕自身「いやぁ、よく分からなかったね」という結論になりました。もしかすると、本格的に一からレクチャーを受けて、数式を書いてもらえば、もう少しは理解できたかもしれませんが、本当の天才の思考なんて簡単には分かりません。そこで「よく分かった、すごい、すごい」と言うのは、科学的な態度でもなんでもない。「分からない」でいいんです。他に誰もいないような先端の領域を走る人たちがこの世の中にはいて、そんな人たちが人類に残された難問に挑戦している。その事実こそが、科学の営みでは大事なことです。

おそらく、森先生が研究している内容を本当に理解できている人は、世界でも数少ないでしょう。そのくらい、考え方がずば抜けている。そうやって、人間は新しい概念を生み出し、後世に引き継いできました。僕が入り口となって、そのことの一端が伝わればいいのです。だから、「分からない」というのもとても大事なことです。「分からない」にこそ科学の魅力があり、それが多くの人に伝わることに僕は意義を感じています。

歌舞伎ゼミ、復活

僕にとってさらに嬉しかったのは、歌舞伎ゼミの復活です。前にも書いたように、1986年、東京大学に着任したばかりの僕は、趣味を生かして「理系学生のための歌舞伎入門」というゼミを始めました。その年は国立劇場で「仮名手本忠臣蔵」が3ヶ月かけて通し上演されたので、歌舞伎ゼミは駒場の教室で講義を月に2、3回行い、あとは国立劇場に通うというスタイルで始まりました。毎シーズン、定員の25名がすぐに一杯になる人気ゼミでしたが、だんだん僕自身が研究のために海外出張することが多くなり、手一杯になって、3年ほどで中止を余儀なくされていました。

歌舞伎には400年以上の歴史があります。そこに少しでも魅力を感じたお客さんや、好奇心を持った学生が集まる限り、歴史は続いていきます。僕がとっても好きな絵が歌舞伎座にあって、それは2階の廊下の下手側に掛かっている、鏑木清方《かぶらききよかた》という日本画家の「さじき」という絵です。ここには、お母さんと娘が桟敷席から歌舞伎を観ている様子が描かれています。描かれたのは1951年で、戦後間もない頃ですね。この絵を見ると、昔の東京の家庭では、こうやって親子で歌舞伎を観ていたんだということが分かります。この娘さんは、大人になってもきっと歌舞伎を観る——そういう文化が引き継がれていたのだろうと思います。

未来について言えば、演者は心配なさそうです。普段歌舞伎を観ない、知らないという人でも、テレビでもおなじみの松本白鸚、幸四郎、市川染五郎という父、息子、孫の3名が同時襲名をするという、たいへんにめでたいニュースがあったことはご存知でしょう。歌舞伎の世界では昔から血がつながっていようがいまいが、いろんな型の継承によって芸が次世代へと引き継がれてきました。ですが、観客のほうはどうか。これはちょっと心配です。ここは科学も同じなのですが、新しい人に魅力を感じてもらうという試みが模索されています。

歌舞伎と科学の最大の共通項は、「少しの勉強」をした方が楽しめるということです。それはなにも蘊蓄を語り合うということではなく、まずは魅力を感じ取るだけで十分。そこへちょっとした知識があれば、感じ取ることのできる領域は広くなり、楽しむための敷居は下がっていきます。絵に描かれた娘さんのように幼い頃から観てきた人は、「少しの勉強」が十分にできているわけです。

それを伝えるために、僕は「ほぼ日の学校」という講座で歌舞伎ゼミを再開するにあたって、こんなことを書いています。

「ほぼ日の学校に来ていただきたいのは、歌舞伎に興味があるけど、なんとなく敷居が高いと思っている人。何から観ればいいかわからない人。歌舞伎が何だかさっぱりわからないけれど、好奇心がある人。『傾《かぶ》いて』みたい人です」

歌舞伎の伝承において、僕がいちばん大事だと思っているのは、お金を払って観に来る観客がいるということです。今でも歌舞伎は、松竹株式会社がちゃんと利益を上げて、それによって伝統を次の世代につなぎ、新しいチャレンジをしながら毎月の舞台を作っているわけで、お金を払う観客がいなくなってしまえば、たとえ役者がいても潰れてしまいます。科学も同じです。僕が福島の高校生のような若い人たちに原発事故のことを語っていたのは、あの事故を子ども時代に福島で経験した世代が探求を続けることで、未来に開かれる扉があるからです。関心を持つ人がいなくなれば、続いていくものも続いていかなくなります。

身銭を切って芝居に行く習慣が、いかにすれば次の世代まで続いていくか。それが、このゼミをやる僕のテーマでした。思い返せば、僕が子どもの頃は、生活のなかに自然と古典芸能が浸透していました。僕がラジオで熱心に聴いていたのは落語だったし、春日八郎が歌った１９５４年の大ヒット曲「お富さん」の一節「死んだはずだよお富さん」は当時大流行しました。これの元ネタは、歌舞伎「与《よ》話情《わなさけ》浮名《うきなの》横櫛《よこぐし》」です。何の説明もしなくても、みんなこの一節が分かったんですね。

歌の場面は、黒板塀があって、その内側に松がある。そこに、お富がお湯屋から帰ってくる。洗い髪で、口からは糠袋（体を洗う道具）をぶら下げて。これが歌詞にも出てくる「仇な姿の洗い髪」です。お富と与三郎はかつていい仲になったけれど、お富には赤間源左衛門という怖いおじさんがバックについていた。目をつけられた与三郎とお富は、源左衛門に追われる。ふたりは見つかって、与三郎は全身を切られ、お富は海に飛び込んだ。与三郎はお富が死んだものと思っていたけれど、後に囲い者として結構な生活をしているお富を発見する。自分は全身に34ヶ所の刀傷。切られ与三と異名をとり、命からがら生きのびた末の再会です。

「お富さん」がヒットした昭和半ばまでは、明らかに生活のなかに歌舞伎がありました。あの歌を聴くと、みんなこの光景が思い浮かんだということです。そのくらい、歌舞伎はみんなのものだった。今では歌舞伎はどこか上流文化で、かしこまって鑑賞するものになってしまいましたが、本来はまったくそんなことはなかったのです。

とはいえ、現在でも人びとの生活から歌舞伎が完全に消えてしまったわけではないことは、最近プロ野球のポスターの隅っこのほうに「こいつあ春から縁起がいゝわえ」と書かれているのを見かけたときにも感じました。これは「三人吉三巴白浪《さんにんきちさともえのしらなみ》」という芝居のなかに出てくる、お嬢吉三という、女装した泥棒のセリフです。これも、セリフだけなら知っているよという人はそれなりにいるのでしょう。そんなふうに、いまも世の中のあちこちに残っている歌舞伎のエッセンスに気づき、知っていくのもおもしろいと思います。

「カリスマ創業者」の後をどうするか？

僕にとって、自分にも通ずる問題としてとても興味があるのは、ほぼ日の創業者である糸井重里さんが、これからどうやってこの会社の社長を辞めようとしているのか、ということです。ほぼ日のイメージは、これまでずっと糸井さん本人のイメージと重なったものでした。それは、スズキ・メソードが長い間、創立者である鈴木鎮一先生そのものであったことと、僕には共通して見えます。

糸井さんが社長を交代できる体制を目指していることは、誰が見ても明らかです。そのために、社名を「東京糸井重里事務所」から「株式会社ほぼ日」に変え、上場という手段を選んでもいる。ですが、交代するハードルはこの会社にとって、極めて高いのもまた事実です。

僕の場合は、鈴木先生が創立からおよそ50年のあいだ自ら率いたスズキ・メソードを、今5代目として引き継いでいます。先生が亡くなられて以降は、組織がどうやって存続可能かをこれまでいろんな人が試行錯誤してきました。当然、うまくいったこともあれば失敗したこともあります。それらを踏まえて現在は僕がスズキ・メソードを背負っているわけですが、この集団がいまだに〝初代のカリスマ〟の強い存在感の下にあるのもまた現実です。

人間には寿命があるけれど、法人には寿命は想定されていません。僕自身も初代からの遺産を引き継ぎつつ、時代に合わせて変えるべきところは変え、次世代のためにモデルチェンジを図ろうと考えているところはたくさんあります。未来を見据えて組織を整えた上で、僕もいずれ次の人に引き継いでいかなければいけません。

糸井さんには、これから自分がいかにほぼ日という会社を退き、次の人に引き継ぐかという課題がある。それが僕には、自分の置かれている状況と重なって見えるんです。「そうか、糸井さんはこういう局面で、こういう具合に課題を突破しようとしているんだ」「じゃあ、それをスズキ・メソードに置き換えるとどうなるか」といつも考えさせられる。糸井さんがほぼ日でいろいろなことを考えてトライしている姿は、とても参考になります。

彼からは常に刺激を受けていますが、僕となにより違っていて、本当にすごいと思うのは、たとえば1時間トークするというときに、一見したところなんの準備もせず、どこに行き着くのかよく分からないような話から始めて、そこから話をどんどん転がし、最終的に1時間しゃべりきることができるということです。その話がつまらなければ、単に1時間無駄な話をしただけの人になってしまいますが、彼の話を聞いた人はいつも「ああ、なんかおもしろいものを聞いたな」と感じる。そうやって、どこまで計算しているかは分からないけれど、実際に意味があることを話しています。

僕は、持ち時間が1時間あるとすれば、1時間分の内容を事前に仕込んで話します。パワポを使う場合は、あらかじめスライドをしっかりと作って、それに合わせて話す練習もする。一般公開した東京大学での最終講義もそうでしたが、資料をすべて作ったら一度通しでリハーサルをして、時間の超過がないか、だれるポイントはないかをよく確認し、時間が押した場合にどこを飛ばすかまで決めています。大学の授業では、1時限分の板書をできるだけ準備して臨むのが習慣でした。

糸井さんがほぼ日のコンテンツで話したり、あるいは聴衆の前で話すときに、彼が持っているその瞬発力、言葉の使い方のうまさ、あらかじめ準備していない話がその場に引き出され、別の局面に置き直され、新たにそこで紡ぎだした言葉が過去の話と結びついて生き生きとし始めるさまを見ると、これは僕が持っていない、すごい能力だなあと思います。

僕はこういう仕事とは無縁だと思ってきたけれど、スズキの会長になってからは、ちょっとした挨拶を頼まれる機会が増えてきました。子どももいてお母さんもいてお父さんもいて、おじいちゃんおばあちゃんもいる。そこで、なんの準備もしていないかのごとく、パワポも使わずに、20分の話をするということが求められるようになったわけです。僕はそのトレーニングをしてきていないので、最初はものすごく怖かったけれど、僕は僕で学びました。やってみると意外とできるものです。

こういうのは慣れなんですね。そして、大事なことは「インプット」です。

僕がCERNの研究で強い影響を受けたヘンシュ先生は、研究所の中に有名な「ヘンシュ部屋」という実験室を持っていて、そこには彼しか入ってはいけなかったと聞いたことがあります。彼はどんなに忙しくても、ある時間帯はそこに鍵をかけて閉じこもり、ひとりになってものを考えたり、実際に自分で手を動かしたりしていたといいます。彼のようなトップの科学者はもう自分で実験をやらなくてもいいし、論文をまとめることに時間を費やしてもいいのに、必ず自分で手を動かしてレーザーの実験をやっていたというのです。僕が彼を最も尊敬しているところは、「インプットのための時間を絶対に維持していた」というところです。

ノーベル賞をとった人でも、こうして意識して仕入れのための場所、仕入れのための時間を作っているんだなと、感銘を受けました。そうしないと、かつて仕入れたものを出し続けているだけで、いずれやせ細ってしまうということを、ヘンシュ先生は分かっていたんでしょう。

糸井さんを見ていて思うのは、彼も常に大量のものを仕入れて、日々大量のものを作り出している人だということです。彼はほぼ日のウェブサイトの名物エッセイコーナー「今日のダーリン」を毎日書いて更新するということを何年も続けています。毎日新しいことを書くというのは、日頃から大量のもの、こと、人、場所などに触れて、それらについて相当いろんなことを深く考えていなければできない。一見そのようには見えないけれど、そのためにかなり意識的に気を配っているはずです。

僕も、毎日ではないですが、毎月いくつものコンサートに会長挨拶文を書かなければいけない立場になりました。以前書いたもののコピーを使い回すのではなく、毎回きちんと新しいものを書きたいので、そのためにいろいろなものを仕入れる訓練を、いままでとはまた違った意味で続けています。

大学を辞めるまでは、仕入れるテーマは決まっていたわけです。ですが、退職してからはむしろ、いままで仕入れてこなかったようなことをたくさん仕入れなければいけない場面が増えました。僕がほぼ日に対してどんな貢献をするかという意味でも、そしてスズキの仕事を続ける上でも、インプットすることはプラスになるのです。人生は日々勉強です。

科学的な思考と経営

糸井さんの発想法を間近で見ていて感じるのは、僕らのような科学者の発想とは違う部分もあるけれど、意外と共通する部分もあるということでした。たとえば今まで知っているものとまったく違うものに出会ったときに、「ああ、そうか。それって実はこれとつながるのではないか」と問いを立てて、突き詰めるやり方です。異なる分野同士をあえてぶつけてみたり、その間に落ちているものがあるんじゃないかと考えてみたりする。柵の外側にひょいっと出て、エサを探し歩くヒヨコのように考えるスタイルです。

ほぼ日も、大きな組織になって上場も果たすと、まるでビッグサイエンスのプロジェクトのような形になると思う人も出てくるかもしれない。でも、それだけではダメだということを、おそらく糸井さん自身が一番分かっている。まったく違うもの、こと、言葉が衝突したときに、おもしろい何かが生まれるという発想を、これからも大事にしていってほしいのだと思います。一見すると無関係に見えるA・B・Cが、じつは組み合わせてみると三角形になる、というような発想を。

社内のミーティングでも、彼はいつも社員に対していろいろなメッセージを伝えています。それは僕からすると、自分がいなくなった後のほぼ日の課題を話しているように聞こえるときもある。いつまでも自分がこの会社の唯一の発想者であってはいけない。かといって、「糸井二世」を育てたいわけではない。僕みたいな科学者を入れることも、そうやって常に外からのいろいろな刺激を与えながら、柔軟な発想が出てくる会社にしたいということの一環なのでしょう。

それは、僕が科学の世界に求めていることとも同じです。彼は、自らも大量のインプットを自分に課しながら、大量の種まきをしています。「ほぼ日の學校」プロジェクトがうまく育つか、アプリはうまく育つか——最終的なマネタイズ（収益化）を目指して、いろんなことを試している。東証の株式欄では「小売業」に分類されているけれど、彼の中では、ほぼ日は単なる小売業ではない。そう思って実践を続けているはずです。

大学を辞めて思いますが、僕は研究者として、これまで世界の一流から多くの刺激を受けてきました。普通は大学を離れるとその刺激が途端になくなってしまうけれど、僕はそうはなりたくなかった。新しいチャレンジを自分に課すなかで、僕は科学者が社会のなかでどうやって役に立つかということをあらためて考えるようになりました。

科学者として社会のなかで生きていくにあたって、僕にとってもっとも大事だった心得は、「アマチュアの心で（巻き込まれて）、プロの仕事をする」こと、そして「楽しそうにやる」ということに尽きると思います。（　）内の部分を加えた意味はあとに回して、まずもって大事なのは、「何かを始める時に、アマチュアであることはまったく恥ではない」ということです。これはこの本の中でも繰り返してきたし、先ほどの発想法の話にも通じることですが、離れているこっちのものとあっちのものをつないだときに生まれる領域では、誰もが初心者であり、アマチュアです。並行して走っている別々のものを、クロスさせる。そこで生まれるものを恐れていては、新しいものは作れません。そのためには、思考の軽やかさと、実際に取り組み始めてからのスピード感で勝負するということが大事になると思います。

そして「楽しそうにやる」というのは、「おもしろがる力」です。おもしろがる才能が、全ての人に等しく与えられてはいない、ということは、僕が山崎先生や多くの人たちを見ていて分かったことです。だから、おもしろがる力を自分で訓練していくことで、伸ばしていく。つまらない要素や、できない理由は無限に探せますが、「ここがおもしろい」と思うところを大切にしていくことで、科学でもビジネスでも、自分の領域や可能性を広げることができるようになります。僕は、スズキ・メソード、そしてほぼ日に入ってからも、やっぱりおもしろく生きています。周りから見たら、僕はいつも楽しそうに見えると思うのです。

異分野同士をつなぎ合わせる発想、スズキでの経験とほぼ日での経験をつなぎ合わせること、そして、両者に科学の世界で学んだメソッドを注入すること――こういうことに、僕はやりがいを感じます。よく「専門性を大事に」と言いますが、専門性というのは、実はかっちりと決まっているものでは全くなく、それとこれの境界はいつも曖昧で、壁のように硬いものではなく、もっと柔かいものです。

「巻き込まれて」の意味はここにあります。振り返ってみれば、僕は随分と多くの物事に巻き込まれてきました。今は「主体的に判断するのが大事だ」とよく言われますが、１００％主体的な判断だけで成り立つ人生はありえません。どこか偶然の出会いや、偶然の出来事によって人生は決まっていきます。巻き込まれるのは、偶然性を大事にする態度だとも言えるのです。

僕がヴァイオリンを始めたのだって、親の友人がたまたまスズキに関わっていたというだけです。大学では医学部に行こうと思っていたけれど、最終的には物理のおもしろさに目覚めて、機械やコンピュータをいじっていた縁でアメリカやカナダに渡ることになりました。日本に戻ってくると、「この研究をあんたが引き継いでくれや。よろしくたのむわ」と先輩に言われて引き継ぐことになり、最終的にＣＥＲＮに行くことになった。ほとんど学生向けの業務連絡やホームページの更新代わりとして何気なく使っていたツイッターが、たまたま周りに見つけられてしまい、それがきっかけで原発事故後の福島にも関わることになった。そして、幼少期の縁がたまたまスズキの会長職につながり、福島での縁がほぼ日につながったのです。

僕は人生の転機において、主体的に道を選んだのは物理をやることぐらいで、それ以外は目先の仕事を大事にして、こなすことで縁を作り上げてきたとも言えます。最初に大きな目標を決めて努力するというよりは、時々にアマチュアとしていろいろな領域に巻き込まれ、そこで最終的に自分ができるプロの仕事を提出するということを繰り返してきました。そうすると不思議なことに、僕にとってのコンピュータやツイッターのように、誰に頼まれて始めたわけでもないのに、結果的になぜか僕がやらないといけないような空気が勝手に出来上がってきて、それが「自分にしかできない仕事」になるかもしれないのです。

大学を辞めるまで、僕はプロジェクトのトップはやったけれども、組織のトップになった経験もなかったし、会社に入った経験もありませんでした。退職後の僕の活動は、すべてアマチュアとして始まっています。その中で、科学者としてプロであるというのは、「最初から結論を決めつけることなく一から学び、仮説を立て、適切な理論やデータを入手し、検証を繰り返す中で、実証的な根拠があり、かつ妥当性の高い結論を導き出す」という科学の方法を徹底することです。そこに好奇心が結びつけば、いうことはないでしょう。これは経営者がビジネスの世界でやっていることと、対象は違えど、共通する部分の多いやり方でもあります。

自分の知的好奇心が赴くままにいろいろなものに手を出して、すべてを楽しみながら、いつかそれらを組み合わせて新しいものを生み出す。歌舞伎と科学はまったく違うけれど、僕の中では〝大好きで、刺激をくれるもの〟という意味では同じで、歌舞伎から刺激を受けることで、科学にも活きることがある。音楽も同じです。音楽を科学の対象として見つめ直すことで、僕は子ども時代の自分にとって何が大事だったのかを、もう一度考え直しています。

科学が世の中の役に立つかどうか。これを、僕はこの本の最初に問いかけました。僕は、「科学は役に立つ」と言いました。その意味はふたつあることが分かったと思います。第一に、科学を支える思考法は、ビジネスや社会生活にもおよそ応用が可能であり、新しい発想の源泉になっていくということ。第二に、「役に立つか否か」は多くの人にとって短期的なビジョンが前提になっているけれど、それを考える際には、可能性も含めた長期的な視点に立つことが大切だということです。

科学は、未来に向けた一大プロジェクトです。前の世代から受け継いできたバトンがあり、多くの先人たちが積み上げてきたものの上に僕たちは立っています。僕がちょっと推し進めた世界を次の世代の人たちがもう一歩先に進めることで、もしかしたら新しい世界が開けるかもしれない。それが役に立たないとは、現代に生きている人間は誰も言うことができません。僕はひとりの科学者として、科学の可能性を信じているし、科学の考え方を身につけた人たちは、社会の中で活躍できるフィールドも広がっていくと思っています。

あとは、皆さんが可能性を広げるときです。世界へ飛び出して挑戦するのか、会社や組織の中で科学的な考え方を生かすのか、研究者になるのか、それとも——。この本を読んだ読者の中から、僕がまったく思いもよらない何かが生み出されたとき、科学はまた進歩するのです。

おわりに　ぶれない軸で世界を歩め

原発事故10年、コロナ禍の科学と社会

　これだけ科学者の発信が注目されるのは、福島の原発事故以来かもしれません。2020年に世界中で感染が拡大した新型コロナウイルス感染症は、2021年に入ってもいまだに収束の見通しすら立っていません。僕は原発事故の時と同様、この件についても、特に自分の意見を述べることはせずに、公的に発表されたデータを集め、淡々とグラフを作って、ツイッターに毎日アップすることを続けています。

　2011年と比べて飛躍的に利用者数が増えたツイッターにおいて、ますます明らかになったのは、「危機の時には、多くの人が何かを言いたがる」ということです。それは科学者でも変わりません。専門外の分野であっても、ついつい何か言いたくなる。その一言が議論を促す役割を果たすのならばいいのですが、大して練られていない批判や

提案では、まったく物事を前に進める役には立ちません。現場から見て明らかに誤解が含まれていたり、余計な仕事を増やしたりするだけの発言も、飛躍的に増えています。

原発事故の時も同様でしたが、科学的な問題について決着をつけるための主戦場は、研究とそれをもとにした論文です。一般の人びとに向けた情報発信は大切なことではありますが、インターネットやＳＮＳでの発言はあくまでも空中戦にすぎません。その大前提を忘れないことは、不確かな噂や非科学的な流言も含めたさまざまな情報が錯綜する混乱の時こそ、大事なことだと思います。

今回のコロナ禍の科学的な特徴は、「このウイルスがどういうもので、人間の社会にどのような影響を与えるのか、まったく分からないところからスタートした」ということにあります。原発事故はその点において は、少なくとも放射線やその人体への影響について、今回の未知のウイルスよりもはるかに多くの知見がありました。それは広島・長崎の経験、チェルノブイリ原発事故やスリーマイル島原発事故の経験から、人類が多くのことを学んできたからです。

僕は現在、広島にある放射線影響研究所の評議員を務めています。この研究所の前身は、１９４７年に米国原子力委員会が出資して、米国学士院（ＮＡＳ）が設立した「原爆傷害調査委員会（ＡＢＣＣ）」です。当時、アメリカが主体となって調査したことを快く思っていない被爆者の方が大勢おられたことも、また現在もおられることも、僕は知っています。そうした機関の発表にはバイアスがかかっているのではないか、という批判があることも承知しています。しかし、同時に言えることがあります。日本も参加した共同かつ大規模な被爆者健康調査の結果はとても貴重なもので、他にこれ以上のデータは存在しないということです。

僕たちは歴史的経緯を踏まえた上で、このデータから学ぶことが求められています。福島の高校生に、なぜ「子どもを産めるよ」とはっきり言えるのかといえば、当時の被爆者の方々を対象とした研究で、被爆による子どもへの遺伝的影響は確認されていないこと、少なくとも現時点までの観察では、被爆者の子どもの死亡率、がん発症率の増加は認められていないことがはっきり示されているからです。広島、長崎の被爆に比べて、福島の原発事故においては外部被ばく、内部被ばく共に文字どおりの意味で桁違いに少ないということは、データからも明らかです。

福島の原発事故について、科学的にはすでにほぼ結論が出ていますが、コロナはどうかといえば、まだ分からないことが多い。専門家もかなりの部分において推測を元に話をせざるを得ない状況ですが、今、コロナ禍に対処している科学者たちは、僕が福島でやっていたよりもはるかに難しい戦いに挑み、発信を続けていると思います。

人との接触を8割減らすことを政府に提言し、「8割おじさん」として一躍有名になった西浦博先生（理論疫学、京都大学教授）が、どのような感染予想のモデルを構築し、その背景にどのような論理と計算式を使っているかは僕にも分かります。ただ、僕が研究対象としていた陽子や原子と違い、疫学が相手にしているのは「人間」です。人間という、なんとも不合理で、極端な行動だってやってしまう存在を対象にする仮説を、僕たちのような物理学者は持ち合わせていません。だから、今回のコロナに関しては、僕にできることはほとんどない。僕も世間一般となんら変わらず、手を洗う、マスクをつける、対人的な距離をしっかりとる、といったことに気をつけて生活しています。

僕が原発事故の時も、今回のコロナ禍においても一貫して気をつけていることは、「グラフによる未来予測をしない」ということです。数字をいじっていると、「このままいけばなんとなくこうなりそうだ」と言いたくなるものですが、それを公開することには禁欲的であろうと決めています。「どこまでが科学に言えることで、どこから先は言えないことなのか」を見失わないことが、こうした危機の時には大事なことです。

国際物理オリンピックと理系教育のいま

いま僕が力を入れているのは、2023年に日本で開催が予定されている、高校生を対象とした「国際物理オリンピック」です。主催のトップは、ノーベル賞学者の小林誠先生。僕は大会の存在は知っていたものの、積極的に関わろうとは思っていませんでしたが、例によって準備の途中で一本釣りで巻き込まれたのです。小林先生から「僕より下の世代にも関わってもらいたいから、入ってくれ」と声をかけられた以上、意気に感じて断るわけにもいかず、僕は問題作成を請け負いました。

これがまた、結構楽しいんですね。他の国で開かれた大会も視察に行きましたが、問題の出題範囲は日本の高校の物理の教科書をはるかに超える、大学の教養部ぐらいの物理で、相当高度です。下手すると、大学院の入試に出してもいいような問題も結構あります。実験の問題ふたつと理論の問題3つの計5問を、それぞれ持ち時間5時間ずつで解かせます。実験装置を設計して作り、参加国90ヶ国ぐらいから来る1ヶ国5人の選手団の全員分用意するので、計450台は必要になるのですが、それを一斉に使わせて、解いてもらうのです。

何がおもしろいかといえば、世界各国の中でこれからどの国が伸びてきそうかがよく分かることです。このイベントは、もともと20世紀後半に、冷戦時代の東ヨーロッパやソ連圏、つまり共産主義のグループからスタートして、ものすごくマニアックな問題を出していたという歴史があります。当時、敵対していたアメリカや西ヨーロッパに負けない才能を見つけるぞという意味合いが強かったのでしょう。それが近年では、どちらかというとお祭り色が強くなり、世界中の高校生で競い合う大会へと変わってきました。

日本でも、その事実上の予選会に位置付けられる大会が開かれていて、僕の研究室にもその大会に出た学生や、国際物理オリンピックでメダルをとった学生が来ていました。彼らは総じて優秀で、物理だけができるというより何でもできる、しかも楽しそうにできる人たちです。こういう若者たちがそのまま伸びていけばいいのですが、日本の研究環境はちょっと心配です。博士号を取っても、その先の就職先がはるかに狭くなりました。特に、役に立たないと思われがちな領域である物理学は、予算も回ってこなくなってきています。この先の世代は日本の大学に職を得るのが難しく、アジアも含めた海外の大学を探すことになるというのが現実的な選択肢になってしまいます。

文部科学省が発表している「科学技術指標２０２０」によれば、日本の研究開発費は総額17・９兆円（２０１８年）で、対前年比で２・３％とわずかながらに伸びていますが、トップのアメリカのそれは60・7兆円であり、対前年比も5・1%と伸張しています。それに迫っているのが中国で、研究開発費は58兆円、伸び率も10・1%となっています。

ただでさえ日本では、博士課程の在籍者が減少しています。その上、国際的な地位も低下していると言わざるを得ません。2016〜18年にかけて、自然科学系分野で中国の論文数がアメリカを抜いてトップに立っています。注目度の高い論文数も、アメリカのシェア24・7%に肉薄する22%と、トップ2と呼べるほどの成果を上げています。かつては査読をしていても、中国やシンガポールからの論文は玉石混交で、正直に言って「どうしてこの段階で論文にしちゃったんだろう？」と思うようなものもあったのですが、今は明らかに変わりました。世界はこうしてレベルアップしているのです。

いま、実際にものすごく優秀な学生を国際物理オリンピックに送り込んできているのは、やはり中国です。大会で満点近い成績を取るような高校生が、どんどん出てきています。翻って、日本は論文数世界9位、注目論文のシェアは2・5%になってしまいました。この10年で順位も、シェアもかなり下げてしまい、イタリア、フランス、カナダといった国にも追い抜かれています。過去に日本がトップを走っていた研究分野でも、他の国々に追い抜かれてしまっている。日本はいまだにノーベル賞学者を頻繁に輩出しているし、これから受賞が見込めそうな候補者も少なくない数いますが、その対象となる実績はいずれも過去20〜30年、もっと前の業績ばかりです。今から20年後や30年後、同じように実績を持つ科学者がノーベル賞受賞を待っているという状況は、考えにくくなっています。

今後、「日本に生まれた科学者は、海外に行かなければ研究ができない」という状況が本当に良いのかは、いよいよ考えなければいけません。世界に挑戦することは素晴らしいことですが、日本に充実した研究環境がないというのは別の問題です。将来の重要な発見ができたかもしれないのに、環境に恵まれなかったがために博士課程を諦める、あるいは研究者を諦めるという学生も少なくないのです。

チャンスすら与えられないのでは、人材は育成できません。僕にできることは限られますが、少なくともこの大会は大いに盛り上げて、成功にもっていきたいと思っています。「世界にどのくらい同世代のライバルがいるか、考えたほうがいい」と言ったのは父ですが、今の日本の高校生にとって、この大会は世界のトップがどこにいるのかを知る、いい機会になるでしょう。

「文学部物理学科」――知の理想のかたち

かつて、僕は「『文学部物理学科』があったら移籍したい」とツイートしたことがあります。これは僕にとって、大学の理想形だからです。

文学部と理学部は、ヨーロッパの大学では「哲学博士（PhD）」号を与える学部です。両方とも、博士号は「哲学」なのです。これは、かつて物理学が哲学のなかに含まれていた名残とも言えます。僕がこの博士号の話をとても好きなのは、「人間は昔から、目に見えない何かを考えてきた」ということを、あらためて感じられるからです。

現代では、おそらく哲学も物理学も、社会から見た「役に立たなさ」度合いは似たようなものではないかと思います。哲学畑の人から見たら、僕らのような実験のほうがお金がかかる分、もっと無駄かもしれませんが、社会から「一体何を考えているんだろうね」と思われる度合いは似ているんじゃないかと、僕は一方的に親近感を抱いてきました。

目に見えない何かを考える――そういう人たちに居場所が与えられ、ちょっとずつ人類の分かることが増えてきて、そして巡り巡って、どこかで社会の中に生きる誰かに影響を与えていく。そんな営みを、人間はずっと大事にしてきたと思うのです。これは言い換えると、「考える力」そのものを人間は大事にしてきたということです。

産業や実利も大事ですが、それだけを追いかけてしまうと、いずれ本当に大事なはずの実利自体も得られなくなってしまう。逆説的かもしれませんが、社会を活性化させるためには、どこかで誰かが「無駄」だと思われることをやっていることが実は大事である。そんな風に考えています。

科学のダイナミズムは、その繰り返しです。考えることが好きな人が少しでもいる限り、科学はずっと未来へとつながっていきます。ここでいう「科学」は、狭い意味での科学ではありません。あらゆる知の営みといってもいいでしょう。誰かがバトンを受け取る限り、それはつながっていくのです。僕が残された人生でできることは、より良い未来のために、後へ続く人びとにチャンスと刺激を与えることです。その試みが、この一冊ということになります。

この本を読んでくれた人たちが、どこかで僕の得たものを引き継いでくれて、僕が知らないであろう未来に、「この本を読んで科学者になろうと思った」「この本を読んで物理を勉強しようと思った」「この本から刺激を受けた」なんて言ってもらえたならば、これ以上の喜びはありません。

装幀　新潮社装幀室

早野龍五（はやの・りゅうご）

物理学者。1952年生まれ。東京大学名誉教授、スズキ・メソード会長、株式会社ほぼ日サイエンスフェロー。東京大学理学部物理学科、同大学院理学系研究科修了（理学博士・物理学）。スイスにある世界最大の物理学実験施設CERN（欧州原子核研究機構）を拠点に「反物質」の研究を行い、1998年井上学術賞、2008年仁科記念賞、2009年中日文化賞を受賞。2011年3月以降、福島第一原子力発電所事故に関してTwitterから現状分析と情報発信を行い、福島の放射線調査に大きな役割を果たした。

「科学的《かがくてき》」は武器《ぶき》になる
世界《せかい》を生《い》き抜《ぬ》くための思考法《しこうほう》

発　行　2021年2月25日

著　者　早野龍五《はやのりゅうご》

発行者　佐藤隆信
発行所　株式会社新潮社
〒162-8711　東京都新宿区矢来町71
電話　編集部　03-3266-5411
読者係　03-3266-5111
https://www.shinchosha.co.jp

印刷所　株式会社三秀舎
製本所　株式会社大進堂

ISBN 978-4-10-353861-5 C0030